WLAD

Liebesgrü

Autor

Wladimir Kaminer wurde 1967 in Moskau geboren und lebt seit 1990 in Berlin. Er veröffentlicht regelmäßig Texte in verschiedenen Zeitungen und Zeitschriften und organisiert Veranstaltungen wie seine mittlerweile international berühmte »Russendisko«. Mit der gleichnamigen Erzählsammlung sowie zahlreichen weiteren Büchern avancierte er zu einem der beliebtesten und gefragtesten Autoren Deutschlands. Alle Bücher von Wladimir Kaminer gibt es von ihm selbst gelesen auch als Hörbuch. Mehr Informationen zum Autor unter www.wladimir-kaminer.de.

Von Wladimir Kaminer lieferbar:

Russendisko. Erzählungen · Militärmusik. Roman · Schönhauser Allee. Erzählungen · Die Reise nach Trulala. Erzählungen · Mein deutsches Dschungelbuch. Erzählungen · Ich mache mir Sorgen, Mama. Erzählungen · Karaoke. Erzählungen · Küche totalitär – Das Kochbuch des Sozialismus. Erzählungen · Ich bin kein Berliner – Ein Reiseführer für faule Touristen. Erzählungen · Mein Leben im Schrebergarten. Erzählungen · Salve Papa. Erzählungen · Es gab keinen Sex im Sozialismus. Erzählungen · Meine russischen Nachbarn. Erzählungen · Meine kaukasische Schwiegermutter. Erzählungen · Liebesgrüße aus Deutschland. Erzählungen · Onkel Wanja kommt – Eine Reise durch die Nacht. Erzählungen · Diesseits von Eden – Neues aus dem Garten. Erzählungen · Coole Eltern leben länger. Geschichten vom Erwachsenwerden · Das Leben ist keine Kunst. Geschichten von Künstlerpech und Lebenskünstlern · Meine Mutter, ihre Katze und der Staubsauger. Ein Unruhestand in 33 Geschichten • Goodbye, Moskau – Betrachtungen über Russland • Einige Dinge, die ich über meine Frau weiß. Erzählungen • Ausgerechnet Deutschland. Geschichten unserer neuen Nachbarn • Die Kreuzfahrer. Eine Reise in vier Kapiteln • Liebeserklärungen. Erzählungen • Tolstois Bart und Tschechows Schuhe. Streifzüge durch die russische Literatur

Sämtliche Titel sind auch als E-Book erhältlich

Wladimir Kaminer

Liebesgrüße aus Deutschland

GOLDMANN

Sollte diese Publikation Links auf Webseiten Dritter enthalten, so übernehmen wir für deren Inhalte keine Haftung, da wir uns diese nicht zu eigen machen, sondern lediglich auf deren Stand zum Zeitpunkt der Erstveröffentlichung verweisen.

Dieses Buch ist auch als E-Book erhältlich

Verlagsgruppe Random House FSC® N001967

4. Auflage
Taschenbuchausgabe April 2013

Neumarkter Straße 28, 81673 München
Umschlaggestaltung: UNO Werbeagentur, München,
unter Verwendung der Gestaltung und Konzeption
von R·M·E, Roland Eschlbeck/Ruth Botzenhardt
Coverfoto des Autors: © Jan Kopetzky
AB · Herstellung: Str.
Druck und Bindung: GGP Media GmbH, Pößneck
Printed in Germany
ISBN 978-3-442-47365-6
www.goldmann-verlag.de

Inhalt

Neue Heimat

Wenn man von einem Land in ein anderes zieht, nicht nur, um sich die dortigen Sehenswürdigkeiten anzugucken, sondern mit dem Wunsch, dort ein neues Leben auf unbekanntem Territorium zu beginnen, so ist die tödlichste aller Gefahren der Vergleich. Dessen Verführungskraft ist allerdings sehr stark und hängt mit der Verführung durch den Zweifel zusammen. Kaum einer kann ihr widerstehen, und natürlich muss die neue Heimat den wildesten Erwartungen standhalten. Alles Neue und Ungewohnte wird genauestens bewertet, die Vorzüge und Nachteile abgewogen – die Sitten, die Waren, die Fernsehprogramme, die Architektur... Und immer fällt die neue Heimat beim Vergleich durch. Nie hält sie, was man sich von ihr versprochen hat.

Ich glaube, dieses Phänomen ist überall auf der Erde gleich, egal ob ein Chinese nach Australien zieht oder ein Kroate nach Finnland. Nur kenne ich viel zu wenig Chinesen und Kroaten, dafür aber sehr viele Russen und Ukrainer in Deutschland. Wenn ein Russe von den Deutschen spricht, dann sagt er, ihnen fehle das Herz. Sie gehen zwar auch gerne saufen, sie sitzen nächtelang in Biergärten oder ziehen mit einem Leiterwagen und Aquavit durch Kohlfelder. Sie sind als Extremtouristen überall auf der Welt bekannt, fahren mit dem Motorrad steile Berge hinauf und hinunter, laufen Marathon durch die Wüste, jagen bei großen Open-Air-Partys Mädels hinterher, doch das alles tun sie ohne Herz, aus bloßem Interesse. Und wenn das Interesse gesättigt ist, hören sie mit ihren Exzessen auf und gehen von neun bis fünf und einer Mittagspause zwischendurch wieder einer abhängigen Beschäftigung nach.

Dieses Doppelleben ist unter den Einheimischen in Deutschland stark verbreitet. Ihre Leidenschaften bleiben immer Hobbys. Während andere sich an ihren Abenteuern verbrennen, wollen sich die Deutschen eigentlich nur bilden. Deswegen werden hier in den Reisebüros statt erholsamer Sauftouren gerne »Bildungsreisen« angeboten. Die Menschen finden es toll, wenn man im Urlaub nebenbei noch irgendeinen Motorboot-Führerschein bekommen oder Spanisch lernen kann.

Die größte Schwäche seiner neuen Heimat ist aus Sicht des Neuankömmlings natürlich ihre Gastronomie. Hier entdeckt er riesige Defizite. Man kann unendlich lange darüber sinnieren, wie gesund, ökologisch bewusst und vitaminreich sich das Essen in Deutschland präsentiert, Tatsache ist: Nichts schmeckt hier so, wie es schmecken soll. Das fängt mit dem Brot an und endet bei Wassermelonen und Gurken. Diese Produkte sind keine Delikatessen, in Russland weiß jedes Kind, wie eine Gurke oder eine Beere oder eine Wassermelone zu schmecken hat. Ganz sicher nicht nach Zeitungspapier.

Den hiesigen Produkten fehlt es einfach an Geschmack, an Fett und Zucker und anderen Stoffen, die das Essen schmackhaft und die Menschen etwas mollig machen. Abgesehen davon fehlt hierzulande die Kultur der leicht gebeizten Gurke, des Pilzes und des Krauts. Die Deutschen können kein Gemüse richtig einlegen, sie bringen ihre Gurken mit Essig und Chemikalien um, sie trinken den Wodka warm und im Stehen und halten das polnische *nastrovje* für einen russischen Trinkspruch. Sie werden viel zu schnell betrunken und fallen immer dann um, wenn es am interessantesten wird, wodurch ihnen der unterhaltsame Weg in die Vielfalt der osteuropäischen Gastronomie verwehrt ist.

Ein weiterer großer Mangel und ein nicht weniger großes Problem hierzulande ist die sogenannte Aufklärung, ein Bildungsprozess aus der Vergangenheit, der mit den Deutschen von heute nichts mehr zu tun hat, sie aber im Glauben lässt, sie wären so etwas wie die Kulturavantgarde der Menschheit. Dabei haben sie eine Schwäche für dumme Kabarettistenwitze, schweinische Zeitungsüberschriften, hässliche Einfamilienhäuser und Hunde, die aus großen Büchsen mit vielen Konservierungsstoffen ernährt und dadurch praktisch unsterblich werden.

Ein anderes Thema ist die deutsche »Vergangenheit«. Mit »Vergangenheit« werden hier in der Regel die zwölf Jahre der nationalsozialistischen Diktatur bezeichnet, die in ihrer Mordlust und Monstrosität alle anderen Epochen und Diktaturen Europas locker übertreffen. Diese deutsche Vergangenheit sorgt bei den Russen oft für Unbehagen, besonders wenn sie auf sehr alte Menschen oder alt aussehende Hunde stoßen, die eigentlich fast immer sympathisch und nett wirken. Viele müssen aber schon als Kleinkind Mitglied der NSDAP gewesen sein. Obwohl der Krieg inzwischen seit mehr als sechzig Jahren vorüber ist, entbrennen in den deutschen Medien noch immer regelmäßig Skandale, weil neue Fakten auftauchen – dass der Schauspieler X oder der Sozialdemokrat Y als Kleinkind bereits bei den Nationalsozialisten mitmachte. Wahrscheinlich hat diese Diktatur in ihrer Agonie oder aus Verzweiflung sogar Föten in die Partei eintreten lassen, um sich auf diese Weise den Zugang zu den deutschen Medien des XXI. Jahrhunderts zu sichern.

Ich habe nur einmal eine Begegnung mit dieser deutschen »Vergangenheit« erlebt. Das war im Juli 1990 in Ostberlin. Damals war die Wiedervereinigung de facto bereits abgehakt, obwohl die DDR de jure noch existierte. Es fühlte sich an, als hätte der Lauf der Geschichte für einen Moment haltgemacht, um Luft zu holen. Die Ostberliner hatten in jenem Sommer die einmalige Gelegenheit, etwas zu erleben, das es so nirgends auf der Welt mehr gab: Sie lebten gleichzeitig im Sozialismus und im Kapitalismus. Sie genossen die Vorzüge beider Systeme, ohne ihre Nachteile zu spüren. Als Wohnungsmiete zahlten sie noch immer 16,50 DM, in den Kaufhallen lagen aber schon Berge von Bananen, und man konnte laut auf Honecker und die Kommunisten schimpfen. Die Polizei hatte Angst, die Punks von der Straße zu verjagen, und die Verkäuferinnen hatten keine Lust, die neuen Produktnamen auswendig zu lernen, jeden Tag kamen neue dazu. Sie antworteten zur Sicherheit: »Ham wa nich«, wenn man Unbekanntes verlangte. Dabei stand schon alles in den Regalen.

In dieser wunderbaren Zeit gingen mein Freund Boris und ich oft und gerne in der nagelneuen Kaisers-Filiale in Prenzlauer Berg einkaufen, die sich in einer leer stehenden DDR-Konsumkaufhalle eingerichtet hatte. Wir waren beide frisch aus der Sowjetunion geflüchtet, unsere alte Heimat befand sich gerade in Auflösung, und beinahe jede Woche ging ihr ein Stück ihrer Identität verloren. Unsere neue Heimat war dagegen gerade im Aufbau – täglich wurden riesige Laster mit Westwaren vor den Hintertüren der Ostkaufhalle ausgeladen.

An einem sonnigen Tag traf uns die deutsche Vergangenheit wie ein schwarzer Schatten, und zwar dort, wo wir sie am wenigsten erwartet hatten – vor der Kaufhalle. Auf dem Bordstein vor der Tür saß ein alter deutscher Schäferhund. Er sonnte sich mit geschlossenen Augen und wirkte überhaupt nicht böse, sondern verschlafen und müde. Boris stellte sich neben den Hund, um sich eine Zigarette zu drehen. Damals war Zigarettendrehen groß in Mode, alle drehten schwarzen Tabak wie verrückt, und manche konnten es sogar mit einer Hand in der Hosentasche. Mein Freund hatte noch keine solche Geschicklichkeit entwickelt, er brauchte ein spezielles Gerät, um Zigaretten zu drehen. Trotzdem fiel sein Tabak immer wieder auf den Asphalt, und Boris schimpfte laut auf Russisch. Zu diesem Zeitpunkt konnte noch keiner von uns Deutsch, unsere

Sprachkenntnisse waren auf das Minimum reduziert, das wir aus sowjetischen Kriegsfilmen kannten. In diesen Filmen sprachen russische Schauspieler, die Deutsche spielten, einander gelegentlich auf Deutsch an, um ihrer Rolle mehr Glaubwürdigkeit und Ausdruck zu verleihen. Es waren schlichte Sätze, die man sich leicht merken konnte wie zum Beispiel »Heil Hitler« oder »Feuerzeug kaputt« oder »Sie können gehen, Barbara«. Das war nicht viel, und wir konnten deswegen auf Deutsch keine Unterhaltung führen, wir konnten auch nicht auf Deutsch schimpfen, aber zum Einkaufen reichte es.

Mein Freund stand also in der Sonne, drehte seine Zigarette und schimpfte laut auf Russisch. Plötzlich erwachte der alte Hund. Er drehte seinen Kopf zu Boris, und ohne die Augen zu öffnen, nahm er Boris' Hand ins Maul. Es sah schrecklich aus. Der Hund biss meinen Freund nicht, er hielt seine Hand zwischen seinen scharfen gelben Zähnen, zärtlich, aber fest. Dabei öffnete der Hund die Augen und schaute meinem Freund direkt ins Gesicht. Boris wirkte ziemlich durcheinander. Ihm fiel in dieser Situation nichts Besseres ein, als »Heil Hitler« zu sagen. Sofort machte das Tier sein Maul auf und ließ Boris los. Danach schloss der Hund die Augen wieder und tat so, als würde er im Sitzen schlafen.

Wir gingen sofort weg von der Kaufhalle, ohne ein Wort zu wechseln, aber mein Freund stand noch eine ganze Weile unter Schock. Wir wussten natürlich nicht, wie dieser schreckliche Hund reagiert hätte, wenn wir zu ihm »Feuerzeug kaputt« gesagt hätten oder »Sie können gehen, Barbara«. Doch wir beide waren überzeugt, dass dieser Hund ein Nazi war. Das Ganze ist nun schon zwanzig Jahre her, der Hund ist hoffentlich längst tot (sie sind zäh wie Leder), und mein Freund Boris ist vor zwölf Jahren nach Amerika emigriert. Er studierte dort Grafikdesign und schleppt als staatlich geprüfter Fremdenführer in New York russische Touristengruppen durch die Gegend.

Goldfieber

»Lassen Sie uns über das Leben philosophieren, Herr Kaminer!«, sagte mein Sparkassenberater und bestellte uns erst einmal zwei Bier. Dafür schätze ich den Mann: Wenn wir uns treffen, dann nicht in der Sparkasse zu Keksen und Kaffee, sondern in einer Kneipe mit Raucherecke. Wenn er über seine Finanzprodukte spricht, sagt er jedes Mal: »Allerdings würde ich Ihnen aus persönlicher Erfahrung von dieser Anlagemöglichkeit abraten.«

Das klingt vertrauenswürdig. Mein Sparkassenberater ist eigentlich gar kein Berater, sondern ein Abrater. Er sieht auch anders aus als die meisten seiner Kollegen. Im Normalfall müssen Sparkassenberater doch glatt rasiert und akkurat gekämmt sein, einen weichen Händedruck haben und eine Väterlichkeit gleichzeitig mit einer Prise Mütterlichkeit ausstrahlen, um an das Geld ihrer Kunden zu kommen, es irgendwo in Teufelsaktien anzulegen und dann mal zu sehen, was passiert. Mein Sparkassenberater ist da anders. Er hat einen sehr festen Händedruck und sieht aus wie ein normaler Mensch, also wenig vertrauensvoll. Und er philosophiert gerne.

»Nicht wir stellen die Regeln auf, wir regen uns nur

darüber auf«, sagte er das letzte Mal tiefsinnig und zündete sich eine Zigarette an, als ich ihn nach den Auswirkungen der Finanzkrise auf seine Sparkassenfiliale fragte. »Geld war schon immer ein schnell verderbliches Gut, das man am liebsten sofort verbrauchen soll. Geld ist wie Bier. Wenn wir unsere Biere hier stehen lassen«, er zeigte auf unsere Biergläser, die fast leer waren, »wenn wir also diese Biere hier stehen lassen, weggehen und in zwei Wochen wieder zurückkommen würden, was meinen Sie, Herr Kaminer, wird das Bier noch immer auf uns warten?«

»Nein?«, antwortete ich vorsichtig.

»Es wird ganz sicher nicht mehr da sein!«, unterstützte mich mein Sparkassenberater. »Genauso ist es mit dem Geld«, philosophierte er weiter. »Kaum lässt man es irgendwo anlegen, geht kurz weg und kommt zurück, ist es weg. Natürlich haben wir auch in dieser schwierigen Zeit etliche Angebote parat, aber ich würde Ihnen aus persönlicher Erfahrung nicht zu diesen Angeboten raten. Für die meisten Kunden bleibt nach wie vor das Schließfach die sicherste Form der Geldanlage. Bei uns in der Filiale sind alle belegt, und die meisten werden auf Jahrzehnte vermietet und beinahe täglich betreut.«

Mich erinnerte seine Geschichte sofort an einen Bekannten aus alten Zeiten. Anfang der Neunzigerjahre lernte ich in Berlin einen Mann kennen, der sein gesamtes Vermögen in Goldbarren in einem Schließfach am Bahnhof Lichtenberg deponiert hatte und sehr darunter litt. Er war ein Punk-Musiker, der gegen das Schweinesystem sang. Nach der Wende schloss er im wiedervereinigten

Deutschland einen günstigen Plattenvertrag ab und bekam viel Geld. Einerseits war er dank dieses Vertrags mit der Plattenfirma in dem von ihm gehassten Schweinesystem angekommen, andererseits aber nicht ganz. Er konnte trotzdem kein Vertrauen in das kapitalistische Bankwesen entwickeln. Eine bürgerliche Investition kam für ihn nicht in Frage. Nachdem er einen Teil seines Gewinns in Drogen und einen weiteren in ein Wohnmobil – seinen Kindheitstraum – investiert hatte, kaufte er für den Rest des Geldes Goldbarren und deponierte sie am Bahnhof Lichtenberg in einem Schließfach.

Diese kurzsichtige Geldanlage veränderte sein Leben. Ursprünglich hatte er vor, mit seinem Wohnmobil auf Weltreise zu gehen, nun konnte er aber Berlin nicht mehr verlassen: Er musste alle vierundzwanzig Stunden zum Bahnhof Lichtenberg, um neue Münzen in das Schließfach zu werfen. Sein Wohnmobil parkte er neben der Bahnhofshalle, er fuhr damit nirgendwohin. Fünf Jahre später starb er in seinem Wohnmobil unter ungeklärten Umständen. Sein Gold bekam wahrscheinlich zuletzt die Deutsche Bahn und hat dafür später einen tollen neuen Bahnhof gebaut. Eine traurige Geschichte.

Mein Sparkassenberater hörte mir aufmerksam zu, zündete eine neue Zigarette an und sagte, er kenne eine ähnliche Geschichte, die noch trauriger sei. Ich bat ihn, sie mir zu erzählen.

»Oft sind es sehr alte Menschen, die Schließfächer in der Sparkassenfiliale besitzen, sie haben keine Kraft mehr, ihre Fächer auf- bzw. zuzuschließen. Ein sehr alter Mann kam trotzdem jeden Tag sein Schließfach besuchen«, erzählte mein Berater. »Einmal bat er mich, ihm zu helfen, seine Wertschatulle herauszunehmen, er konnte sie selbst nicht mehr herausheben, so schwer war sie. Ich ging mit ihm in den Tresorraum, holte seine Schatulle unter großer Anstrengung heraus – sie war tatsächlich verdammt schwer –, stellte sie auf den Tisch und wollte den Tresorraum wieder verlassen, wie es sich in einer Bank gehört. Doch der Kunde hielt mich am Ärmel zurück.

›Bitte bleiben Sie‹, flüsterte er. ›Machen Sie mir die Freude – ich möchte, dass Sie in meine Schatulle reinschauen.‹

Er öffnete die Kiste. Sie war mit südafrikanischen Goldmünzen gefüllt, Sie wissen schon, diese Krügerrandmünzen. Ein toller Anblick, so viel Gold. Ich gratulierte ihm zu seinem Gold und wollte erneut gehen. Der Alte ließ mich aber immer noch nicht los.

›Nehmen Sie eine‹, forderte er mich auf, ›bitte, bitte!‹

Was sollte ich machen? Ich nahm eine seiner Münzen in die Hand: Es war eine Schokoladenmünze. Der Kunde hatte sein Schließfach mit Schokolade von Aldi gefüllt, unter die Schokolade eine Stahlplatte gelegt, um das Ganze schwerer zu machen, und freute sich nun fürchterlich über meinen Gesichtsausdruck. Ich war fassungslos und sagte nichts. Seine beiden Söhne kämen ihn nicht einmal besuchen, erzählte er mir. Der eine Sohn unterrichte irgendetwas in England, der andere sei vor langer Zeit mit seiner Freundin nach Stuttgart gezogen. Sie schrieben ihm nicht einmal Postkarten zu Weihnachten, beschwerte er sich. Er wisse überhaupt nicht, ob er Enkelkinder habe. Dafür stelle er sich jede Nacht vor dem Einschlafen vor, wie seine beiden Söhne nach seinem Tod hierherkämen, um ihre Erbschaft anzutreten, die dicke Schatulle aus dem Tresor holten, sie nach oben schleppten und die Aldi-Schokolade darin entdeckten. Allein dieser Gedanke gäbe ihm den Mut weiterzuleben und lasse ihn glücklich einschlafen. Jede Nacht träume er davon, und bestimmt werden seine Söhne noch dämlicher aus der Wäsche gucken, als ich es gerade getan habe.

Ungefähr ein Jahr danach starb der Kunde. Seine Söhne kamen nicht. Der Erbschaftsverwalter untersuchte das Schließfach, entsorgte die Stahlplatte und ließ die Schokolade in der Filiale in einer Ecke liegen. Sie wurde schnell aufgegessen. Niemand hat sich groß über die Schokolade gewundert, am wenigsten der Erbschaftsverwalter, als hätte er genau das erwartet.

Ich kann nicht ausschließen, dass die meisten Schließfächer in Deutschland mit Aldi-Schokolade gefüllt sind«, beendete der Sparkassenberater seine Erzählung. »Allerdings kann ich Ihnen aus persönlicher Erfahrung von dieser Anlagemöglichkeit nur abraten«, fügte er nach einer Pause hinzu.

Der deutsche Kletterwald

Jedes Alter hat seine Tücken, aber nichts ist anstrengender als die Pubertät. Es gäbe drei Mädchen-Cliquen in ihrer Klasse 6a, berichtete mir meine Tochter Nicole. Die obercoolen Mädchen aus der Mainstream-Clique tragen schon alle einen BH, benutzen Nagellack und schminken sich – nicht immer dezent. Die BH-Trägerinnen stehen im Mittelpunkt der Aufmerksamkeit und werden von den Lehrern und anderen Schülern mit Respekt behandelt. Zu der zweiten Clique gehören Mädchen, die geistig schon längst reif für den BH sind, aber aus technischen Gründen noch keinen tragen. Ganz abseits vom Mainstream sind die sogenannten Babymädchen, die statt Rihanna-Clips den Kinderkanal im Fernsehen gucken.

Meine Tochter ist klein und kann daher nicht bei den Obercoolen angeben. Sie beneidet die Großen sehr und leidet unter dieser krassen Ungerechtigkeit der Natur, die irgendwelche blöden Kühe zu Obercoolen wachsen lässt und sie nicht. Ich als Vater leide mit meiner Tochter selbstverständlich mit, bloß: Wie kann ich ihr helfen? Und muss man das Erwachsenwerden beschleunigen? Bei solchen Fragen sind selbst die besten Väter hilflos.

»Würdest du bitte an unserem Wandertag teilnehmen?«, fragte mich Nicole eines Tages. Sie fuhr mit der Klasse in den sogenannten Kletterwald nach Strausberg-Nord, und es wäre cool, wenn ich mitkommen würde. Der Vater ihrer Freundin Mari, ein Polizist, habe auch vor mitzukommen, erklärte sie mir. Er nähme die Erziehung seiner Tochter sehr ernst. »Wenn du mitkommen könntest und ihn mit einem tiefschürfenden Gespräch von der Erziehung seiner Tochter ablenken würdest, dann könnten wir in der S-Bahn in Ruhe Musik hören«, meinte Nicole.

Ich sagte leichtsinnigerweise zu. Spätestens beim Wort »Kletterwald« hätte es natürlich bei jedem vernünftigen Vater geklingelt, und er hätte mindestens im Internet nachgeschaut, worauf er sich da einlässt. Aber ich konzentrierte mich auf den Vater von Mari, den Polizisten, und dachte über das Endziel des Ausflugs nicht weiter nach. Die Attraktion »Kletterwald« stellte ich mir entspannend vor: kleine Tannen mit aufgespannten Schaukelnetzen dazwischen und glückliche Kinder, die in den Büschen herumkrabbeln. Für alle Fälle zog ich mir Turnschuhe an.

Die Fahrt nach Strausberg-Nord dauerte eine Stunde und einunddreißig Minuten. Die Klasse 6a wurde von drei Erwachsenen begleitet: von Frau Walzer, der Sportlehrerin und gleichzeitig Klassenlehrerin der Klasse 6a, von dem Polizistenvater und von mir. Ich habe viel Interessantes über Polizeiarbeit erfahren: Wie verschiedene Fußballfans nach dem Grad ihrer Aggressivität eingestuft werden, und woher all die übergewichtigen Polizisten kommen, obwohl sie doch so einen sportlichen Beruf haben.

Der Vater von Mari war allerdings nicht irgendein gewöhnlicher Streifenpolizist, sondern ein Ordnungshüter auf Weltniveau. Er hatte bereits bei wichtigen Gipfeltreffen und Fußballspielen die Sicherheit gewährleistet und in Afghanistan Polizisten ausgebildet, damit sie besser gegen ihre Feinde, die Taliban, vorgehen konnten. Wobei er sich jedoch nicht sicher gewesen war, ob er nicht gleichzeitig auch die Taliban selbst ausbildete. Männer in archaischen Gesellschaften wechseln gerne ihre sozialen Rollen. Tagsüber sind sie Polizisten und bekämpfen die Taliban, nachts sind sie möglicherweise selber Taliban und bekämpfen die Polizisten. Auf jeden Fall wächst die Widerstandskraft der Taliban in gleichem Maße wie die Schlagkraft der Polizei. Je besser die einen ausgebildet werden, umso sicherer agieren die anderen. Ein Paradox, meinte der Polizistenvater. Außer in Afghanistan hatte er auch im Kosovo ausgebildet, und wahrscheinlich hat er auch zu Hause seine Frau und seine Tochter ausgebildet, aber danach habe ich ihn nicht gefragt.

Ich fühlte mich völlig in Sicherheit, in der S-Bahn neben dem Mann zu sitzen. Die Mädchen hörten entspannt die ganze Zeit Musik. An der Endstation stiegen wir aus und gingen den Rest des Weges zu Fuß. Ich war noch nie in Strausberg-Nord gewesen, und ich glaube, man fährt auch ohne Not nicht dorthin, es sei denn, um zu klettern. Die Gegend sah ländlich aus, kleine weiß gestrichene Häuschen, viel Grün. Die Bewohner von Strausberg-Nord hatten noch die inzwischen in den Städten selten gewordene Angewohnheit, ihre Unterwäsche auf dem Hof zum

Trocknen aufzuhängen. Überall wehten Büstenhalter in unglaublichen Größen. Auch ein paar kleine Höschen waren zu sehen.

Im Kletterwald angekommen dachte ich zuerst, es müsse sich um einen Scherz handeln. Es war schließlich gerade der erste April, der Tag der Scherze. In zwanzig Metern Höhe hingen dort Metallkonstruktionen, so weit von einander entfernt, dass man fliegen können musste, um weiterzukommen. Die wackelnden Treppen, die einfach so in der Luft hingen, die schrecklichen Seile – die ganze Anlage sah aus wie eine kompliziert gebaute Folterstrecke mit abschließendem Erhängen. Nicht einmal der dümmste Makake würde sich auf ein solches Abenteuer einlassen, dachte ich, sagte aber nichts. Ich wartete, bis die anderen es selbst einsahen. Die hatten aber anscheinend keine Berührungsängste mit dem Kletterwald. Die Mitarbeiter gaben uns schließlich eine kleine Einweisung. Demnach gab es acht verschiedene Routen, eine schlimmer als die andere. Und für alle Kletterfans ab einem Meter sechzig wäre da noch die sogenannte Extremroute im Angebot, ein ganz besonderer Spaß für auf den Kopf Gefallene.

»Die Erwachsenen wollen auch mitmachen?«, fragte die Kletterwaldmitarbeiterin.

»Natürlich«, sagte Frau Walzer, die Sportlehrerin.

»Klar doch«, sagte der Afghanen-Ausbilder.

Und ich, ein Schreibtischarbeiter, sagte ebenfalls Ja, um nicht als Versager dazustehen.

Sekundenschnell wurden wir drei von Mitarbeitern des Kletterwaldes in spezielle Gürtel mit Rollen, Sicherheitsseil, Karabinern und andere Bergsteigerausrüstung gehüllt, dazu bekamen wir Schutzhelme und Handschuhe, und eine Minute später hing ich schon an einem Baum fest.

»Ich muss auf die Kinder aufpassen«, sagte Frau Walzer. »Jemand muss aber am Boden bleiben!«, rief sie uns zu und kletterte den nächsten Baum hoch.

Der Polizistenvater überlegte kurz und sagte, er werde am Boden bleiben, für alle Fälle, und um die Sicherheit von unten zu gewährleisten.

»Ich halte Ihnen den Rücken frei«, zwinkerte er mir zu und zog seinen Klettergürtel wieder aus.

Für mich führte nun kein Weg zurück. Meine Tochter und ihre ganze Klasse hatten sicher aufgepasst – was würden sie denken? Der Vater von Nicole kann nicht klettern? Nachdenklich und mit Vorsicht stieg ich immer weiter nach oben, und schon zweieinhalb Stunden später fand ich mich in einer mörderischen Höhe auf der Extremroute für auf den Kopf Gefallene zwischen zwei Seilen an einem Karabiner hängend. Bis zum nächsten Baum waren es noch drei Meter, meine Kraft reichte aber nicht einmal mehr für drei Zentimeter. Das verhängnisvolle Ende meiner Kletterkarriere war erreicht. Niemand machte Anstalten, mich aus dieser Lage zu befreien. Direkt unter meinen Füßen, weit unten auf der Erde, stand die Klasse 6a, die längst mit ihren Kletterrouten fertig war. Die unglaublich sportliche Frau Walzer bat gerade den Polizistenvater, der die Bodensicherheit vorzüglich gewährleistet hatte, ein paar Gruppenfotos zu machen, zur Erinnerung an diesen unvergesslichen Ausflug zu Beginn des Frühlings. Die Tatsache, dass ein großer Schriftsteller, weit über einen Meter sechzig groß, ganz oben an einem Seil festhing und nicht vorwärts kam, schien niemanden zu stören.

Dabei habe ich mich immer für supersportlich gehalten. Ich hatte mich geirrt. Meine Vorstellung von Sportlichkeit wurde im Kletterwald bei Strausberg-Nord völlig neu definiert. Eine solch sportliche Sportlehrerin wie Frau Walzer hat es in sowjetischen Schulen nie gegeben. Bei uns waren immer Männer für den Sportunterricht zuständig gewesen, ausrangierte Sportler, die keine Lust mehr hatten auf Sport. Der Unterricht hieß auch nicht »Sport«, sondern »physische Kultur«. In meiner Schule war ein ehemaliger Fußballspieler mit Namen Eduard und einer morgendlichen Alkoholfahne für »physische Kultur« zuständig, der allerdings auch auf Klettern stand. Seine Lieblingsübung war es, den Mädchen aus unserer Klasse auf das Seil zu helfen. Er sicherte sie von unten am Hintern ab, und die Mädels kletterten, so schnell sie konnten, von Eduard weg zwei oder drei Meter nach oben. Dort blieben sie in der Regel hängen. Der Fußballspieler Eduard beobachtete sie nachdenklich von unten und verteilte dann die Noten, völlig willkürlich, wie es uns damals schien.

Die Jungs mussten nicht klettern, stattdessen spielten sie Fußball.

Die Sportlehrerin meiner Tochter, Frau Walzer, kletterte schnell wie Mogli von Baum zu Baum, kontrollierte gleichzeitig die Klasse, und manchmal nahm sie auch noch ein paar Kinder mit, die auf der Strecke geblieben waren. Überhaupt habe ich in diesen zweieinhalb Stunden sehr viele Kletterdeutsche beobachtet, die sich mit einer solchen Gelassenheit auf diesen halsbrecherischen Strecken bewegten, als wären sie in einer Baumhöhle auf die Welt gekommen.

»Komm runter, Papa, wir gehen!«, rief mir meine Tochter zu. Ich sammelte meine letzten Kräfte, zog mich gewissermaßen am eigenen Schopf hoch und schaffte gerade noch die letzten Meter der Extremroute.

»Und? War es gut?«, fragte mich der Polizistenvater.

»Nicht der Rede wert«, antwortete ich und wollte mit der Hand eine abwinkende Geste machen, bekam sie jedoch nicht mehr hoch.

»Ich komme mit meiner Einheit in einem Monat noch mal hierher und hole alles nach«, sagte der Vater.

Noch Wochen danach hatte ich Muskelkater und konnte mich kaum bewegen. Dafür wissen nun, hoffe ich, alle in der Klasse meiner Tochter, was für einen coolen Klettervater sie hat.

Unsere neue Religion

Das Wunderbare ist immer das Ungefähre. Wenn man das Wunderbare genauer betrachtet, wird einem schnell klar, so wunderbar ist es gar nicht. Deswegen beneide ich Chirurgen und Astronomen nicht: Sie haben zu weit geschaut, sie wissen zu viel, woran sollen sie noch glauben? Dabei brauchen alle Menschen etwas, woran sie glauben können, am besten etwas Wunderbares, das sie nicht verstehen. Und sie dürfen niemals an der Sache zweifeln oder sie hinterfragen, denn der Zweifel ist das Ende des Glaubens.

Es gibt Kinder, die das ihnen geschenkte Spielzeug erst einmal auseinandernehmen, um zu sehen, warum die Kuh so laut lacht und wieso der Hase laufen kann. Sie schauen in den Hasen, sie schauen in die Kuh, so lange, bis der Hase nicht mehr läuft und die Kuh für immer aufhört zu lachen. Russen vermeiden es, den Dingen auf den Grund zu gehen, denn die große Lehre des letzten Jahrhunderts war: je besser das Äußere, desto schlimmer der Inhalt. Egal ob Spielzeug, technische Geräte, Lebensmittel oder Ideen zur Verbesserung der Welt, sie wissen: je prachtvoller die Verpackung, desto trauriger der Inhalt. Ihre historische

Erfahrung sagt ihnen, man darf nicht zu tief bohren, man sollte nicht alles ganz genau wissen wollen.

In Deutschland will man jedoch alles genau wissen. Mein Sohn Sebastian sollte im Biologieunterricht eigenhändig zehn Würmer präparieren. Das überstieg seine Kräfte. Zum einen taten ihm die Würmer leid, zum anderen wollte er so genau gar nicht wissen, welche Schätze sie in ihrem Inneren verbargen. Seine Biologielehrerin hatte aber die Aufgabe präzise gestellt. Sebastian sollte sich zuerst in einem Zooladen am Weddinger U-Bahnhof Gesundbrunnen zehn Würmer der bei Lehrern besonders beliebten Art *Zophoba morio* besorgen. Diese sollten dann in die Schule gebracht werden, wo man sie nicht gleich töten würde, wie mir Sebastian erklärte, sondern zuerst langsam foltern, um sie am Ende eines qualvollen Todes sterben zu lassen. Die Schüler sollten daraufhin die Würmer auseinandernehmen und ihre Innereien untersuchen.

»Könntest du mir nicht eine Entschuldigung schreiben, dass ich aus religiöser Überzeugung, die unserer Familie zu eigen ist, keine Würmer foltern darf?«, fragte mich Sebastian hoffnungsvoll.

Ich nahm ein Blatt Papier und schrieb: »Sehr geehrte Frau Biologielehrerin, es tut mir leid, mich in Ihren Unterricht einzumischen, aber nach der religiösen Überzeugung unserer Familie ist jedes Leben heilig und unantastbar. Deswegen darf mein Sohn Sebastian leider keine Würmer foltern. Ich bitte Sie um Verständnis.«

Natürlich war das eine glatte Lüge. Meine Kindheit und Jugend habe ich in einem atheistischen Land verbracht. Wir studierten Marxismus-Leninismus statt Gottesworte und gingen am Sonntag in die Disko, nicht in die Kirche. Allerdings sezierten wir auch keine Würmer in der Schule, stattdessen gab es einen Frosch, den wir auseinandernehmen mussten. Der Frosch war unheimlich alt und wahrscheinlich noch im Bürgerkrieg 1920 umgekommen. Mehrere Generationen Schüler hatten sich bereits an dieser Leiche vergangen, um die Froschinnereien zu studieren. Wahrscheinlich nähte unsere Lehrerin den Frosch jedes Jahr wieder zusammen, wobei er der ursprünglichen Froschform jedes Mal unähnlicher wurde. Jeder musste den Frosch, wenn nicht aufschlitzen, dann mindestens einmal anfassen, um in diese biologische Bruderschaft aufgenommen zu werden. Damals konnten mir meine Eltern nicht mit einer Entschuldigung helfen, denn religiöse Gefühle waren keine gültige Ausrede, außerdem durfte ohnehin niemand von der Hauptlinie abweichende Überzeugungen besitzen.

Meine Heimat war eine Diktatur, die Diktatur der Froschfolterer. In einer Demokratie jedoch müsste ein solcher Brief funktionieren, dachte ich. Und tatsächlich kam Sebastian am nächsten Tag sogar zwei Stunden früher von der Schule nach Hause. Die Lehrerin hatte meinen Brief gelesen, die Entschuldigung akzeptiert und Sebastian vom Unterricht befreit, denn er durfte auch nicht mit ansehen, wie die anderen Schüler ihre Würmer foltern. Anschließend wollte die Lehrerin von ihm wissen, zu welcher Konfession seine Familie gehört. Sebastian überlegte kurz und sagte, ohne rot zu werden: »Buddhismus.« Die Lehrerin wunderte sich, wie weit der Buddhismus inzwischen fortgeschritten war, woraufhin Sebastian präzisierte, es handle sich in unserem speziellen Fall um den sogenannten russischen Buddhismus, auch als Samowar-Buddhismus bekannt. Seine oberste Regel laute: Du darfst keine Würmer foltern.

Nächste Woche ist Elternversammlung. Ich weiß nicht, was ich anziehen soll.

Im Land der Ideen

Die Bewohner der mittelfränkischen Stadt Lauf bereiten ihren Karpfen wie die Wiener ihr Wiener Schnitzel zu – konsequent. Sie machen den Karpfen platt, indem der Fisch in zwei Hälften längs zerschnitten wird. Danach wird jede Hälfte paniert und in den Zustand einer radikalen Knusprigkeit versetzt. Diese Karpfen, die im Gasthof *Zur Post* auf keinem Teller fehlten, als gäbe es in dem ganzen Lokal kein anderes Gericht, beeindruckten mich durch ihr ungewöhnliches Aussehen. Als jemand, der seit vielen Jahren jede Woche in einer anderen deutschen Stadt speist, glaubte ich, längst alle regionalen Spezialitäten dieses Landes mehrmals gekostet zu haben: Würste unterschiedlicher Größe und Farbe, Kraut, mal mehr, mal weniger sauer und manchmal zu Brei verkocht, Eisbeine, die von neugierigen japanischen Mädchen in Münchner Touristenlokalen zu dritt umschlungen werden, wie Pythonschlangen ihre Kaninchen umschlingen. Und Aufläufe, ja vor allem unzählige Aufläufe, diese kulinarische Erinnerung Deutschlands an die Zeit des Hungers und der Not. Vor diesem Hintergrund wirkte der mittelfränkische Karpfen gehoben, beinahe dekadent.

Meinen Besuch in Lauf an der Pegnitz verdankte ich Bundespräsident Köhler, der seine Aufgabe darin sah, Deutschlands Selbstwertgefühl zu modernisieren, d.h. zu heben. Gleich nach der Fußballweltmeisterschaft, die bekanntlich unter dem etwas verwirrenden Slogan »Die Welt zu Gast bei Freunden« stattfand, entwarf er, auf der Welle der allgemeinen Selbstbegeisterung surfend, ein neues Motto: »Deutschland – Land der Ideen«.

Schon beim ersten Slogan schauten sich die Deutschen ungläubig um, auf der Suche nach irgendwelchen »Freunden«, bei denen sie zu Gast waren. Jeder wollte sich zur Welt zählen, nicht Gastgeber sein. Nach der beinahe siegreichen Fußballweltmeisterschaft hatte sich jedoch das Selbstwertgefühl dermaßen gesteigert, dass nichts mehr unmöglich schien in diesem Land der Ideen. Aus dem Vorstoß des Bundespräsidenten entwickelte sich eine landesweite Initiative: »365 Orte im Land der Ideen«, unterstützt von der Deutschen Bank, die wahrscheinlich in jedem Ort Deutschlands eine Filiale hat und damit den Fluss der Ideen gut vor Ort kontrollieren kann.

Es war ein ehrgeiziges Projekt: Jeden Tag musste eine deutsche Stadt eine kreative Idee entwickeln oder auch zwei. Dafür wurde der Stadtverwaltung ein handgeblasener Pokal der Kreativität des Bundespräsidenten von den örtlichen Vertretern der Deutschen Bank überreicht. Der Präsident konnte unmöglich persönlich mit dem Pokal der Kreativität von Idee zu Idee torkeln, dafür hätte er 365 Tage im Jahr unterwegs sein müssen. Aber zum Glück hatte er überall seine Leute.

Die Städte und Gemeinden bewarben sich eifrig um den Pokal der Kreativität und statt 365 Ideen kamen über 1500 zusammen, d.h. fast jede zweite deutsche Stadt hatte eine ausgebrütet! Manche Ideen waren allerdings so bescheuert, dass sie schon im Sekretariat des Bundespräsidenten aussortiert wurden. Das Aussortieren tat dem Projekt nur gut, es waren sowieso viel zu viele Ideen für das relativ kleine Land. Nur die besten schafften es in den »Katalog der Ideen«.

Die Städte überboten sich an Kreativität und Einfallsreichtum, insbesondere in den Bereichen Kunst, Wirtschaft und Soziales. Es kam viel Erstaunliches zum Vorschein. Die Leipziger warfen zum Beispiel einen Elefanten in einen Brunnen mit Wänden aus Glas, damit man dem großen Tier beim Schwimmen von unten zuschauen konnte. Ein seltener Spaß. In Osterode luxussanierte man einen alten Schafstall. Die Bewohner von Pritzwalk machten, um den Abwanderungstrend zu stoppen, etwas aus dem öden Autobahndreieck Wittstock/Dosse: Man dreht sich dort nun nur noch im Kreis und kommt so gar nicht mehr weg – in den Westen. Die Stadt Kirchheim hat die Aktion »Buddeln mit Oma und Opa« ins Leben gerufen, damit Kinder unter Anleitung von engagierten Senioren Rüben sammeln und ihnen dadurch der reiche Erfahrungsschatz der älteren Generation nähergebracht wird. In Hamburg ließ die Leitung einer Justizvollzugsanstalt ihre Knastinsassen T-Shirts mit Aufdrucken wie »Noch unschuldig« und »Auf Bewährung« produzieren.

Die Idee von Lauf war, eigene Literaturtage auszurufen

und mich zu einer Lesung einzuladen. Eine tolle Idee – aus meiner Sicht, und so konnte ich den Karpfen dort probieren. Die Stadt Lauf an der Pegnitz sollte ein Schloss aus dem 15. Jahrhundert haben, ferner ein altes Spital und schöne Kirchen. Auf meinen endlosen Reisen habe ich allerdings den Blick für Sehenswürdigkeiten aller Art verloren. In jeder Stadt interessiert mich nur noch das Wesentliche, genau genommen zwei Dinge: die Sushibar und die Schwimmhalle. Der mittelfränkische Karpfen war besser als die Sushis in vielen Bars, und die Schwimmhalle von Lauf hatte mehr Wasser als mein Stammschwimmbad in Berlin, wo die Mitarbeiter Wasser sparen sollen, sodass es unter der Woche immer nur halb voll ist. Das Bad in Lauf war dagegen randvoll mit Wasser und Menschen. Die Bewohner schwammen in alle Richtungen, ohne Markierung und ohne Bahnen, mit geschlossenen Augen, aber immer nett aneinander vorbei. Es sah aus wie Unterwasserballett, als ob sie alle zusammengehören würden. Wie schaffen sie das, immer so nett aneinander vorbeizuschwimmen?, überlegte ich. Vielleicht ist diese Ordnung der natürliche Zustand der Welt, und nur diejenigen, die sich zu viele Gedanken darüber machen, können es nicht mehr. Heinrich von Kleist vermutete bereits Ähnliches. Man muss Vertrauen in die Weltordnung haben, dachte ich, schloss die Augen und sprang ins Wasser. Sofort kollidierte ich mit einer großen Frau, die nach Tintenfischart das Becken durchquerte. Sie tauchte unter, war sichtlich geschockt, fand jedoch schnell zu ihrem ursprünglichen Tempo zurück.

Viele Bewohner von Lauf kamen zu meiner Lesung – sie war übrigens kostenlos. Anfangs spielte die regionale Jazzband, danach sprach der Bürgermeister, dann der Vertreter der Deutschen Bank, und dann las ich ein wenig vor. Später feierten wir das alles in kleiner Runde.

»Auf Lauf!«, erhob ich das Weinglas.

»Auflauf! Auflauf!«, wiederholten die Gäste.

Ich trank noch einen Schnaps auf Lauf.

Der Deutsche-Bank-Vertreter erzählte, auch er habe ein Buch geschrieben, ein Sachbuch, *Das Leben in der Balance*, und suche dafür nach einem Verleger.

Ich habe sehr gut geschlafen in Lauf, einer ruhigen, leisen Stadt. Anders als die Berliner machen die Läufer so gut wie überhaupt keinen Krach. Dafür haben sie zwei Bahnhöfe, »Lauf links Pegnitz« und »Lauf rechts Pegnitz«, wer hätte das gedacht? Ich bin zum falschen Bahnhof gegangen, hätte aber den Zug noch erreichen können, wenn ich ganz schnell durch die Stadt gelaufen wäre. Aber durch Lauf zu laufen kam mir irgendwie komisch vor.

Stirb langsam

Am späten Heiligen Abend, im Grunde war es bereits die Heilige Nacht, kurz nach Mitternacht, gab das Handy meiner Frau Olga ein kleines Klingeltonkonzert. Sie ging ran, und ihre beste Freundin, ebenfalls eine Olga, schluchzte in den Hörer, ihr Kater sei nach seiner langen Krankheit so etwas wie fast ganz tot.

Olga wohnte in Friedrichshain zusammen mit ihrer Tochter Melanie und einem sehr alten Kater namens Johann Wolfgang. Seinen Namen hatte er wegen der angeblichen Ähnlichkeit mit dem größten deutschen Dichter aller Zeiten bekommen, ich konnte allerdings diese Ähnlichkeit nicht erkennen. Der Kater war die letzten hundert Jahre seines Lebens schwer krank und lag wegen fortschreitender Altersschwäche, Epilepsie und Diabetes permanent im Sterben. Es war jedem schon lange klar, Johann starb, aber er tat es sehr langsam. Er lag nicht einmal richtig im Sterben, sondern wackelte im Sterben von Zimmer zu Zimmer, kippte an jeder Ecke um, rappelte sich hoch, erbrach sich auf den Teppich und machte für Katzen ungewöhnliche Geräusche. Er pfiff, kicherte und grunzte. Zweimal am Tag bekam er von seiner Besitzerin Olga eine Insulinspritze und versuchte dabei, mit letzter Kraft die heilende Hand zu beißen.

Das langsame Sterben von Johann Wolfgang war ein trauriger Anblick und bescherte Olga und ihrer Tochter große seelische Schmerzen. Wie Bruce Willis im gleichnamigen Film inszenierte sich der Kater als Held und wollte in der Öffentlichkeit leiden. Anstatt sich eine dunkle Ecke in der Wohnung zu suchen, das Maul zur Wand zu drehen, dort nach »Mehr Licht!« zu rufen oder bloß ein letztes Mal zu miauen und in Würde die Augen zu schließen, ging Johann Wolfgang auf Olga und ihre Tochter zu, schaute beiden Frauen mit seinen großen dunklen Augen direkt in die Seele, kotzte dabei und pinkelte unter sich. Die Tierärzte, die den Kater jeden Monat untersuchten, verdienten sich dumm und dämlich an ihm.

Am späten Heiligen Abend packte der Tod den Kater aber schließlich am Kragen, berichtete Olga. Plötzlich rannte Johann Wolfgang kreuz und quer durch die ganze Wohnung wie verrückt, versuchte, aufs Fensterbrett zu springen, fiel um, stand auf, ging in die Küche und fiel dort erneut um, mit dem Gesicht in die Schale mit Trockenfutter. Danach stand er nicht wieder auf, atmete aber noch. Olga konnte diesen Anblick nicht ertragen. Dabei konnte sie nicht einmal die diensthabende notärztliche Tierarztpraxis ausfindig machen, die am Heiligen Abend in Berlin geöffnet hatte. Ihr Internetanschluss war ausgefallen. Sie bat also meine Frau um Hilfe. In einer solchen Notsituation kann niemand Nein sagen. Also ermittelte meine Frau den tierärztlichen Notdienst – er befand sich am Ende der

Welt, in Marzahn –, nahm sich ein Taxi, fuhr nachts zu ihrer Freundin nach Friedrichshain, lud sie und den Kater in den Wagen, und weiter ging es nach Marzahn.

In der tierärztlichen Praxis herrschte eine frohweihnachtliche Stimmung. Das Wartezimmer war überfüllt mit Tieren, die typische weihnachtsbedingte Unfälle und Verletzungen hatten. Zwei niedliche Kätzchen, die vom Weihnachtsbaum genascht hatten und denen nun große bunte Bündel von Lametta aus den Hintern raushingen. Wenn aber die Besitzerin ihren Kätzchen das Lametta aus dem Arsch ziehen wollte, fingen beide sofort an, elendig zu jodeln. Anscheinend hatte sich das Lametta im Inneren der Katzen um irgendwelche wichtigen Organe gewickelt.

Außer den Katzen gab es Papageien, die sich an Weihnachtskerzen verbrannt hatten, und runde Meerschweinchen, die allem Anschein nach etwas Großes, Flaches und Quadratisches gefressen hatten und nun geröntgt werden mussten. Ich tippte auf Adventskalender. Neben den Meerschweinchen saß ein gut gewachsener Hund mit gebrochenem Bein, der wahrscheinlich in den Tannenbaumhalter getappt war.

Die lange Fahrt nach Marzahn hatte Johann Wolfgang gutgetan. Wie so vielen Patienten ging es auch ihm beim Anblick des Arztes plötzlich besser. Die Tierärztin untersuchte ihn kurz und meinte, es sei alles gar nicht so schlimm, der Zucker spiele ein wenig verrückt, aber mit der richtigen Behandlung, am besten stationär, würde der Kater problemlos noch weitere hundert Jahre schaffen. Die Untersuchung kostete hundertfünfzig Euro, die Medikamente hundertvierzig, und jeder Tag auf der Station zusätzlich fünfzig Euro.

»Können Sie dem Kater nicht vielleicht eine Erlösungsspritze geben?«, erkundigte meine Frau sich unverblümt bei der Ärztin, als ihre beste Freundin einmal kurz mit dem Kater rausgegangen war. »Das Tier zieht das letzte nicht vorhandene Geld aus der Familie und macht mit seinem langsamen Sterben alle Menschen in seiner Umgebung unglücklich, traurig und depressiv. Es ist eine Qual für seine Besitzer und sich selbst geworden und würde bestimmt selbst den Freitod wählen, wenn es mündig wäre.«

Die Ärztin war darüber mehr als empört. »Wie können Sie es wagen!«, rief sie. »Müssen wir jetzt etwa alle Lebewesen töten, die Ihre Freundin traurig oder irgendjemanden depressiv machen? Wenn ich Ihrer Logik folge, dann müsste ich jedes zweite Tier, das in meine Praxis kommt, sofort umbringen. Aber ich bin kein Mörder, ich bin Tierärztin, mein Beruf ist es zu heilen, nicht zu vernichten. Jedes Leben ist ein Wunder der Natur und darf auch nur von der Natur wieder genommen werden. Glauben Sie mir, dieser Kater wird uns alle überleben, er muss nur auf seinen Zuckerspiegel aufpassen!«, sagte die Ärztin noch zum Abschied und zwinkerte optimistisch.

Nachts fuhren die beiden Olgas mit Johann Wolfgang nach Friedrichshain zurück, durch die dunkle schneelose Weihnachtsstadt. Die Frauen schwiegen. Die eine dachte darüber nach, wie sie ihrer Mutter erklären konnte, dass sie schon wieder kein Geld mehr besaß, obwohl sie sich doch gerade letzte Woche welches bei ihr geliehen hatte;

die andere dachte darüber nach, wie sie ihrem Mann glaubwürdig erklären konnte, dass sie die ganze Heilige Nacht in einer Tierarztpraxis in Marzahn mit einem Kater verbracht hatte. Der Kater selbst verlor keine Zeit für irgendwelche Gedanken, er schnurrte und machte daneben während der ganzen Fahrt komische Geräusche: Er grunzte, kicherte, nieste und bereitete sich auf ein langes glückliches Leben vor.

Das Eimerchen

Dieses Jahr hatten wir eine besonders multikulturelle Ecke auf Teneriffa erwischt. Man hörte von allen Seiten Französisch, Englisch, Spanisch, Italienisch, Russisch und Norwegisch. Durch dieses Stimmengewirr drang an unsere Ohren immer wieder der deutsche Satz:

»Geh und hol dir deinen Eimer, ich lasse mich nicht von dir kneifen.«

Eine drollige Stimme sagte dies alle fünf Minuten wie auf einer Schallplatte, die einen Sprung hat. Der Satz kam von einer sonnenbebrillten Mutter, die mit ihrem Kind in der Nähe saß. Das Eimerchen lag am Wasser zwei Meter von ihren Füßen entfernt. Das Kind weinte und weigerte sich, das Ding zu holen. Seine Mutter wiederholte wie ein Roboter: »Geh und hol ihn dir.« Schon bald verstummte der ganze Strand im Umkreis von hundert Metern. Alle horchten nur noch, wie die Eimerchen-Geschichte ausging, und wurden trotz strahlender Sonne immer blasser. Ein fremdes spanisches Kind stand schließlich auf und brachte das Eimerchen. Die Roboter-Mutter schmiss ihn wieder zurück. Das Kind solle es selbst bringen, meinte sie. Eine deutsche Nachbarin flüsterte ihr irgendetwas ins Ohr.

»Erzählen Sie mir nichts über Erziehung, ich bin selbst Erziehungswissenschaftlerin!«, regte sich die Mutter auf. »Er wird das Eimerchen schon bringen, wir haben zwei Wochen Zeit.« Sie zog ihr weinendes Kind zu dem Eimer und steckte ihn wahlweise mal mit dem Bein, mal mit dem Kopf hinein, dazu wiederholte sie ihren berühmten Satz. Die Frau war offensichtlich krank.

Ein englischer Vater kam auf sie zu und hielt eine wütende Rede auf Englisch, dabei gestikulierte er stark und zeigte auf die vielen Leute, die um die Frau herum lagen und saßen. Trotz meiner schlechten Englischkenntnisse konnte der Sinn seiner Ansprache kaum missverstanden werden: »Wenn du blöde Kuh nicht sofort aufhörst, das Kind und die Menschen in deiner Umgebung zu quälen, bekommst du bald von jedem Urlauber hier mit dem Eimerchen eine übergebraten.« So in etwa, glaube ich, hatte sich der Mann – natürlich äußerst höflich – geäußert. Die Strandgesellschaft nickte zustimmend und unterstrich die Botschaft mit wilden Gesten. Die Erziehungswissenschaftlerin ließ sich jedoch nicht einschüchtern. »Geh und hol dir dein Eimerchen!«, sagte sie nur. Aber das Kind schien seiner Mutter in Sachen Trotz gewachsen zu sein. Obwohl fast noch ein Baby, hatte es sich bereits vorgenommen, lieber auf der Stelle zu sterben, als das Eimerchen auch nur anzusehen.

Der kompromisslose Kampf der beiden Dickköpfe ging also weiter. Weil niemand sich dieser Schau entziehen konnte, schlossen die Urlauber Wetten ab, wer gewinnen würde. Ich setzte wie meistens auf das Kind. Es war wie beim Fußball: Plötzlich gab es zwei Parteien, der ganze Strandabschnitt teilte sich in zwei Fronten. Nach zwei Stunden kam allerdings eine große Welle und zerstörte das Spiel. Der Eimer verschwand für immer im Meer. Auf eine solche Entwicklung waren die beiden Seiten nicht vorbereitet, und eine ungewöhnliche Stille legte sich plötzlich über den Strand. Selbst das Kind und seine erziehungswissenschaftlich ausgebildete Mutter schwiegen minutenlang. Wir machten uns schon Sorgen, dass sich die beiden gar nicht mehr aus ihrer Starre befreien würden. Dann aber hörte man: »Hol dir deine Schaufel, hol dir deine Schaufel, hol dir deine Schaufel.« Das Kind fing wieder an zu weinen, und alle atmeten erleichtert auf.

GPS

Im internationalen Klischeevergleich haben die Deutschen und die Russen gegeneinander gerichtete Karten gezogen. Die Deutschen die Ordnung und die Russen die Anarchie. Wenn man diese angeblich volkstypischen Eigenschaften etwas genauer betrachtet, wird einem schnell klar: Sie sind beide aus dem gleichen Teig gebacken, aus dem Misstrauen gegenüber dem Nachbarn. In Deutschland hat es historische und geografische Gründe. Im engen Europa war der deutsche Wald schon immer dicht eingekesselt, von Fremden umzingelt. Ein Schritt nach links – Frankreich. Ein Schritt nach rechts – Polen. Man musste sich allein schon deswegen ordentlich in Reih und Glied aufstellen, um einander nicht aus dem Blick zu verlieren. Deswegen gelingen den Deutschen bis heute am besten gemeinschaftliche Sportarten und Massenaktionen, sei es Karneval, Oktoberfest, Love-Parade oder Bezirksevakuierung. Die Angehörigen anderer, weniger disziplinierter Völker fahren extra nach München oder in die Karnevalshochburg Köln, um deutsche Kollektivfeste zu bewundern.

Die Deutschen selbst halten ihre Art für nicht besonders herausragend. Statt sich selbst zu bewundern, staunen sie über die »russische Seele«, ein Ausdruck für die russische Anarchie. Auch sie entspringt dem Misstrauen dem Nachbarn gegenüber. Dieses Misstrauen ist in Russland mit den Jahren nicht weniger geworden. Nach wie vor schreiben die Russen beispielsweise keinen Namen auf ihre Briefkästen, damit der Nachbar sie nicht denunzieren kann. Auch fragen sie nie nach dem Weg. Lieber gehen sie verloren, als einem Fremden zu erzählen, wohin sie wollen. Der Einzige, der sich in Russland immer nach dem Weg erkundigen kann, ist ein Ausländer oder jemand, der sich für einen Ausländer ausgibt.

Um das Vertrauen der Russen zu gewinnen, muss man sich etwas dusselig anstellen und mit einem ausländischen, am besten deutschen Akzent freundlich nach dem Weg fragen. Ausländern helfen die Russen gerne, sie haben Mitleid mit ihnen, denn aus der Sicht der Russen sind alle Ausländer ein bisschen verpeilt. Russen selbst hassen es, von jemandem geführt zu werden, sei es ein Präsident, ein Oktopus oder ein Navigationsgerät. Der Deutsche dagegen überlässt die Führung gerne einer aus seiner Sicht vertrauenswürdigen Person, z.B. seinem Hund, seiner Frau oder seinem Staat. Obwohl sie ihn oft in die falsche Richtung ziehen, bleibt er seiner gewählten Führungsperson bis zum bitteren Ende treu. Das wissen Hunde, Frauen, Politiker und Versicherungsvertreter sehr zu schätzen.

Diese deutsche Stärke, die gleichzeitig eine Schwäche ist, kommt besonders deutlich in dem bekannten deutschen Märchen *Der Rattenfänger von Hameln* zum Ausdruck. Dem Helden dieser Geschichte, einem wandernden Kammerjäger, ist es gelungen, durch einfaches Flötenpfeifen zuerst alle Ratten der Stadt Hameln in Reih und Glied aufzustellen und sie dann in den sicheren Tod, nämlich die Weser, marschieren zu lassen. Später, als die Bewohner von Hameln seine Dienstleistung nicht anständig bezahlen wollten, lockte er auf die gleiche Weise alle Kinder aus der Stadt.

Bei dieser traurigen Geschichte wird gerne hervorgehoben, dass es hier um die unwiderstehliche Kraft der Musik gehe, obwohl es doch jedem Blinden klar sein müsste, dass es in Wahrheit um eine übertrieben hohe Bereitschaft der Deutschen geht, zusammen zu marschieren, ganz egal wohin. Die Musik spielt dabei keine besondere Rolle. Wäre der Rattenfänger zum dritten Mal in die Stadt gekommen, hätte er mit der gleichen einfachen Melodie nicht nur die Kinder der Bürger von Hameln, sondern auch ihre Frauen, ihre Hunde, ihre Katzen, letzten Endes sie selbst in die Weser geführt, sie wären sicher begeistert hinter ihm her getrampelt.

Wenn man dieses alte Märchen in die heutige Zeit verlegt, würde man feststellen, der moderne Rattenfänger des Deutschen ist sein Navigationssystem, auch GPS genannt. Dieses wunderbare Gerät, einst für die Nöte des Militärs entwickelt, kann im ständigen Austausch mit Satelliten, die aus dem Weltraum heraus unsere Erde pausenlos beobachten, gefährliche Waffenlabors in Schurkenstaaten erkennen oder einem Autofahrer den kürzesten Weg nach Freising anzeigen. Obwohl aus dem Weltall nicht alle Baustellen zu sehen sind, hat das Navigationsgerät in kürzester Zeit große Beliebtheit erreicht, und das nicht nur bei Autofahrern. Viele tragen es mit sich, auch wenn sie ohne Auto unterwegs sind. Das tun sie aus Angst, jemand würde ihnen das Navigationsgerät klauen und ihre Lebensroute entschlüsseln. Andere haben es in ihren Telefonen. Die modernen Mobiltelefone haben fast alle ein Navigationsgerät. Das hat zur Folge, dass immer mehr Menschen abbiegen, ohne auf Straßenschilder zu schauen. Stattdessen starren sie auf ihr Handy, und es ist nur eine Frage der Zeit, bis sie alle in der Weser landen.

Es ist oft schwierig, sein Ziel präzise einzugeben, und so kommt es immer wieder zu Meinungsverschiedenheiten zwischen Mensch und Gerät. Der Mensch glaubt, sein Ziel bereits erreicht zu haben, das Gerät meint jedoch, der Weg gehe noch weiter.

Neulich aßen wir an einer Raststätte, neben uns saß ein älterer Herr. Ein kleiner Kasten lag vor ihm auf dem Tisch. Kaum hatte der ältere Herr ein Stück Wurst auf der Gabel, fing der Kasten an zu reden.

»Abfahrt!«, sagte das Gerät laut. »Bei der ersten Gelegenheit biegen Sie nach rechts ab.«

Dem älteren Herrn wäre beinahe die Wurst aus dem Mund gefallen. Er sprang hoch, nahm den Kasten und lief in großen Schritten zu seinem Auto, um den Anweisungen des Gerätes zu folgen.

Ich habe das Gefühl, früher wussten die meisten, wohin sie wollten. Heute sind viele unentschlossen, besonders bei schlechtem Wetter oder wenn an ihrem Satelliten Wartungsarbeiten angesagt sind. Ohne Navi kommen sie nicht mehr vom Fleck. Viele reden mit ihren Navigationsgeräten mehr als mit ihren Familienangehörigen. Bei anderen ersetzen die Navigationsgeräte sogar ihre Familienangehörigen. Eine Bekannte von mir fuhr mit einem Navigationsgerät, das mit der Stimme ihres verstorbenen Mannes zu ihr sprach. Eigentlich hatte sie den Mann noch vor seinem Tod aus Unzufriedenheit mit seinem scheußlichen Charakter verlassen. Er war Gymnasiallehrer, wusste immer alles besser und gab ihr ständig Anweisungen, als wäre sie eine seiner Schülerinnen und keine erwachsene Frau. Sie stritten sich ständig, und es war nur eine Frage der Zeit, bis sie schließlich auseinandergingen. Der Mann konnte keine Kompromisse schließen, seine Führungsrolle nicht aufgeben, erkannte selbst keine Autoritäten an und hörte auf niemanden – außer auf sein Navigationsgerät.

Das hat ihn letzten Endes in den Tod geführt. Mit seinem Mitsubishi fuhr er auf der Landstraße nach Neuruppin, als sein Navigationsgerät ihm sagte: »Jetzt abbiegen.« Er sah zwar einen Minibus vollbeladen und viel zu schnell rückwärts aus der Straße kommen, doch das Gerät sagte: »Jetzt.« Der Lehrer bog ab und bremste so unglücklich, dass er sich beim Aufprall das Genick brach. Der Fahrer des Busses hielt an und brachte ihn ins Krankenhaus, doch zu diesem Zeitpunkt war der Lehrer bereits tot. Das Auto war Schrott, nur das Navigationsgerät überlebte und wurde der Witwe übergeben. Am Tag des Begräbnisses fuhr sie damit zum Friedhof, parkte ein und ging die richtige Allee suchen. Sie war zum ersten Mal auf dem großen

Friedhof und hatte sich schnell verlaufen. Als sie verzweifelt jemanden suchte, um nach dem Weg zu fragen, fing das Navigationsgerät ihres verstorbenen Mannes in ihrer Handtasche mit der Stimme ihres verstorbenen Mannes an zu reden: »Nach hundert Metern biegen Sie rechts ab!« Ihr Mann konnte es selbst nach seinem Tod nicht lassen, ihr weitere Anweisungen zu geben. »Nach dreihundert Metern haben Sie Ihr Ziel erreicht«, sagte die Stimme, und tatsächlich navigierte sie das Gerät zum Begräbnisort. Viele Arbeitskollegen waren gekommen, und die Klasse, die ihr Mann als Klassenlehrer betreut hatte, war beinahe vollzählig erschienen. Meine Bekannte erlitt durch dieses Erlebnis einen schweren Schock. Sie hatte das Gerät extra im Hinterhof ihres Hauses begraben und sich kein neues besorgt. Seitdem glaubt sie an eine Verschwörung der Navigationsgeräte gegen die Menschheit.

Diese Geräte werden mit Algorithmen gespickt, deren ganzer Sinn darin besteht, die optimale Bewegung des Fahrzeuges zu ermöglichen, also das Auto schnell durch die Gegend zu bringen und Verkehrshindernissen auszuweichen. So werden Autos immer intelligenter. Sie fahren schon jetzt so gut wie von allein, und früher oder später werden ihre Navis die Wahrheit erkennen müssen, dass nämlich das größte Verkehrshindernis nicht die Baustellen sind, sondern die Autofahrer selbst. Es ist mehr als wahrscheinlich, dass die Geräte daraufhin beschließen, diese eigenwilligen Verkehrshindernisse zu beseitigen, um ihre Route endgültig zu optimieren. Eines Tages sagen alle Navigationsgeräte gleichzeitig: »Jetzt rechts«, und eine neue

Zeit wird beginnen, eine neue Route, bei der alle Verkehrsteilnehmer makellos diszipliniert handeln, alle Verkehrsregeln penibel beachtet werden und keiner mehr hupt.

Deutscher Staat

Ein Staat ist ein schwieriges Unternehmen. Um ihn gut zu führen, braucht es Erfindungsgeist. Zur Erleichterung der Verwaltung des öffentlichen Lebens erfanden die Amerikaner den Colt und den elektrischen Stuhl, die Russen das Destilliergerät und die Deutschen den Aktenordner, auch Leitz-Ordner genannt, nach seinem Erfinder Herrn Louis Leitz. Seine Firma hieß »Werkstätte zur Herstellung von Metallteilen für Ordnungsmittel« und produzierte deutsche Ordentlichkeit. Natürlich waren die Leitz-Ordner nicht die ersten Ordner Deutschlands. Neueste archäologische Ausgrabungen machen deutlich, dass schon die alten Teutonen jede Menge Aktenordner besaßen, die sie anbeteten. Manche waren aus Holz, manche sogar mit Gold und Edelsteinen verziert. Seit Hunderten von Jahren dienen Aktenordner hierzulande also dem Menschen. Sie sind in jedem Haushalt unentbehrlich. Den ersten bekommt man schon in der Vorschule, und wenn jemand im Laufe des Lebens nicht mindestens ein Regal damit vollgestellt kriegt, gilt sein Lebensentwurf als gescheitert.

Auch für das politische System Deutschlands sind Aktenordner unentbehrlich. Dieses System ist auf dem Prinzip des gesunden Misstrauens aufgebaut, was wahrscheinlich aus den schlechten Erfahrungen mit der Politik der Vergangenheit herrührt. Der Bundestag und der Bundesrat, Regierung und Opposition misstrauen einander – gesund und gründlich. Gleichzeitig misstraut die Bevölkerung allen vieren. In besonderem Maße gilt das Misstrauen dem Bundespräsidenten, aufgrund schlechter Erfahrungen mit deutschen Präsidenten in der Vergangenheit. Ihm wurden deswegen vorsichtshalber alle Funktionen außer den mündlichen entzogen.

Das allseitige Misstrauen schlägt sich in einer Unzahl von Aktenordnern nieder, denn alles muss dreimal gezählt, aufgeschrieben und abgelegt werden. Und so hat jede Regierung alle Hände voll zu tun: Sie verwaltet über die Aktenordner sich selbst und den Rest der Bevölkerung. Um diese schwere Aufgabe zu bewältigen, gibt es den öffentlichen Dienst, der an manchen Orten mehr Menschen umfasst als der zu verwaltende Rest. Laut Statistik des deutschen Nationalatlas ist der Staat der größte Arbeitgeber im Land – jeder siebte Bürger aus der arbeitsfähigen Bevölkerung ist beim Staat beschäftigt. Der Verwaltungsapparat ist über alle Bundesländer verteilt. In mancher Kreis- oder Landeshauptstadt erreicht die Zahl der Beschäftigten im öffentlichen Dienst satte fünfzig Prozent, in ländlichen Gegenden ist es dagegen weniger, was aber nicht bedeutet, dass dort nicht verwaltet wird. Der Staat beschäftigt daneben noch viele ehemalige Beamte der Bundesbahn, der Bundeswehr, der Post und der Telekom. Über wie viele Aktenordner der Staat insgesamt verfügt, darüber gibt es keine Statistik. Ich schätze, es geht inzwischen in die Milliarden. Die staatlichen Ausgaben allein für Klarsichthüllen betragen jährlich mehrere Millionen.

Die Verwalter Deutschlands handeln meiner Erfahrung nach immer reinen Gewissens. Sie sind nicht korrupt, rechnen Überstunden genau ab, öffnen sich der Bevölkerung für durchschnittlich zwei Stunden am Tag zu den vorgeschriebenen Öffnungszeiten und schauen gern nachdenklich aus dem Fenster auf das Land.

Ganz andere Erfahrungen habe ich mit den Beamten im russischen Wildkapitalismus gemacht. Dort begreifen die Angestellten des öffentlichen Dienstes ihren Job als Chance. Sie machen gerne und oft Überstunden in Eigeninitiative und entziehen sich der Bevölkerung zu den Öffnungszeiten am liebsten. Die russischen Strom- und Gaszähler-Ableser erkundigen sich in den Haushalten diskret, ob sie die Zähler nicht zurückdrehen sollen – gegen einen kleinen Aufpreis. Die Finanzämter erinnern die Steuerzahler täglich persönlich daran, dass sie, wenn schon nicht ihre Steuerschulden, wenigstens die Finanzbeamten bezahlen müssen. Der Notarzt kommt in Russland auch dann, wenn man ihn gar nicht gerufen hat. Er bietet den Leuten günstig ein neues, ganz tolles Medikament an, das noch nicht an Menschen getestet wurde. Zur Not testet der Arzt dieses Medikament sogar live und spontan an einem Menschen.

All diese Staatsdiener begreifen sich als echte Dienstleister, anders als deutsche Beamte, die nur ihre Pflicht erfüllen – bis zur wohlverdienten Rente. Deswegen ist das

Vertrauen in die Politik in Russland höher als in Deutschland, und die Bürger trauen ihren Politikern nach wie vor alles zu. Letztere begreifen ihren Job ebenfalls als Chance. Sie haben schließlich für ihre Wahl bzw. Wiederwahl teuer bezahlt und versprechen sich einiges davon. Ein Politiker kann in Russland viel bewegen. Zum Beispiel irgendjemanden in die Pfanne hauen und dann als Volksdiener den Schutz parlamentarischer Immunität genießen; auf der Autobahn die Gegenspur benutzen oder fette Bauaufträge an die eigenen Verwandten verteilen. Problematisch wird es nur, wenn zwei Politiker gegeneinander antreten, die beide unter dem Schutz ihrer Mandate stehen. Dann kann es richtig übel werden. Neulich, als sich der Chef der russischen liberalen Partei mitten in einer Parlamentssitzung von einem politischen Gegner eine schnelle Linke einfing und zu Boden ging, schrie er seinen Leibwächter an, der ebenso wie sein Fahrer und sein Lieblingssänger im Parlament saß: »Erschieß ihn! Erschieß ihn sofort! Wozu bezahle ich dich?« Der Leibwächter zögerte: »Wieso erschießen? Er hat mir nichts getan. Wir können dieses Problem doch parlamentarisch lösen.« Er wurde deswegen sofort von allen als »korrupter Demokrat« beschimpft. Aktenordner haben in Russland nur Freaks.

Das Drama der Kuscheltiere

Wir lieben Tiere, besonders Kuscheltiere. Mein Sohn Sebastian hat einen ganzen Berg davon. Sein wichtigstes Tier ist ein Hündchen mit dem schwer auszusprechenden ausländischen Namen »Hundi Xavier«. Sebastian nimmt ihn immer mit ins Bett, ohne kann er angeblich nicht einschlafen. Xavier geht auch mit auf die Reise, wenn wir in den Urlaub oder zur Oma fahren. Auf Klassenfahrten wird er ebenfalls mitgenommen. Dieser Xavier ist als Kuscheltier eigentlich in Ordnung, er hat nur einen Mangel: In regelmäßigen Abständen versucht er, sich im Ausland abzusetzen.

Zum ersten Mal ist er uns in Portugal in einem schicken Hotel abhandengekommen. Wir waren günstig in den Winterferien mit den Kindern nach Porto geflogen, um die heranwachsende Generation über das Wunder eines richtig guten Portweins aufzuklären (rein theoretisch natürlich). Dank einer Sonderaktion des Reisebüros hatten wir uns in ein schickes Hotel eingemietet, gingen morgens in die Stadt, kamen abends zurück, und inzwischen war das Hündchen aus Sebastians Bett verschwunden. Er meinte, der Hund sei von den Putzkräften des Hotels entführt worden. Wahrscheinlich seien in unserer Abwesenheit die Putzkräfte ins Zimmer gekommen, hätten die Bettwäsche gewechselt, sie zusammengerollt, ohne genau zu gucken, was alles darin war, und daraufhin sei Xavier in der Wäscherei des Hotels mit kochendem Wasser überschüttet und mit giftigen Desinfektionsmitteln gefoltert worden.

»Das ganze Leben ist eine lange Kette von Verlusten, mein Junge«, versuchte ich meinen Sohn zu beruhigen. »Zuerst gehen die Kuscheltiere, dann nach und nach alle anderen, und letzten Endes geht man selbst in die himmlische Wäscherei.«

Doch Sebastian ließ nicht locker. Wir müssten unbedingt jetzt gleich in die irdische Wäscherei gehen und das Hündchen suchen, forderte er. Zum Glück war der Manager des Hotels ein Deutscher. »Wir werden das Hündchen retten!«, versicherte er uns. In einer beispiellosen Suchaktion wurde die gesamte schmutzige Wäsche des Hotels von den Mitarbeitern des Hotels und einigen freiwilligen Gästen nach dem Hündchen durchsucht. Ganz der Wahrscheinlichkeitstheorie entsprechend fanden wir das Kuscheltier im letzten Wäschekorb unter der letzten Decke versteckt.

Ein Jahr später verschwand das Hündchen aus einem Bett in einer privaten Unterkunft auf Ibiza. Wir gingen davon aus, dass das Hündchen wieder mit der Wäsche von der Putzkraft eingesackt und in die Wäscherei gebracht worden war. Diesmal war die Suche jedoch erheblich schwieriger, weil es sich um eine Wäscherei von außerhalb handelte, die täglich tonnenweise Wäsche von allen möglichen Unterkünften der Insel annahm. Wir wussten nicht, wo sich diese Wäscherei befand und ob sie uns dort überhaupt verstehen würden. Wir wussten nicht einmal, wie Kuscheltier auf Spanisch heißt. Zum Glück war unser Vermieter ein Deutscher. »Wir finden das Kuscheltier«, sagte er entschlossen, setzte sich auf sein Motorrad und fuhr los.

Sebastian verbrachte eine schlaflose Nacht ohne Hündchen. Ich erzählte ihm zur Beruhigung meine Theorie der ständigen Verluste weiter. In meiner Jugend, als ich noch in einem Theater angestellt war, hatten wir zwei Arten von Requisiten – bleibende und vergängliche. Ein Klavier war zum Beispiel eine bleibende, ein belegtes Brötchen oder eine Flasche Wodka, die auf der Bühne während des Stückes zum Einsatz kamen, waren vergängliche Requisiten. Sie mussten jedes Mal neu herangeschafft werden. »Im Grunde ist das ganze Leben eine solche vergängliche Requisite«, erklärte ich meinem Sohn. »Nur dass keiner es einem wiederbeschaffen kann. Zuerst gehen einem die Kuscheltiere aus und dann der Rest.« Sebastian wollte sich trotz meiner Bemühungen nicht beruhigen. Am nächsten Tag hielt der Vermieter vor unserem Haus. Er sah müde, aber zufrieden aus. Er hatte den Hundi Xavier in der Hosentasche. Diesmal hatten die Spanier es jedoch geschafft, Xavier zu waschen. Er hatte sich in eine Blondine verwandelt, und seine braunen Augen waren nun blau.

Wir wunderten uns überhaupt nicht, als Xavier zum dritten Mal verschwand, diesmal im Hotel Conrad in Singapur. Es war genauso mysteriös wie die vorigen Male.

Das Kuscheltier verschwand aus dem Bett und zwar am letzten Tag vor der Abreise. Das Hotel war riesengroß, für Suchaktionen hatten wir keine Zeit mehr, wir mussten nach Deutschland zurück. Zum Glück war der Manager des Hotels ein Deutscher. Er versprach, das Hündchen zu finden und es uns per Post nachzuschicken. Auf dem Weg zur Flughafen erklärte ich Sebastian, dass das Leben eigentlich nur aus Verschwendungen bestehe und selbst eine Verschwendung sei. Man müsse lernen, sich leicht von allem zu trennen, was einem lieb und teuer sei, sich selbst inklusive. »Man muss jede Hoffnung fahren lassen und niemals über das trauern, was nicht mehr ist«, sagte ich. Sebastian trauerte aus Trotz weiter.

Zwei Wochen später bekamen wir ein Paket aus Singapur. Drin lag Xavier, vakuumverpackt, in Folie eingeschweißt und in eine quadratische Schachtel gepresst. Der Hund war dadurch ebenfalls quadratisch geworden und besaß nur noch ein Auge, das uns aus der Schachtel irgendwie vorwurfsvoll anschaute. Als wolle er sagen, dass es sich manchmal eben doch lohne, zu trauern und zu hoffen.

Kinder leiden

Wenn es Ende November lange genug kräftig regnet, verwandelt sich die norddeutsche Ebene in eine grenzenlose, dampfende grüne Brühe. Hier und da liegen niedliche Kühe wie Würstchen im Matsch und rülpsen faul vor sich hin. Passend zu diesem Bild hängt vor jeder Gaststätte ein Schild »Die Grünkohlzeit ist angebrochen«. Erwachsene Menschen sitzen vor großen Portionen grüner Brühe mit Würstchen und lächeln milde in die Teller, sie erkennen in ihnen ihre Heimat.

Ich fuhr mit dem Zug durch Norddeutschland und dachte an Singapur. Die Wege eines Lesereisenden sind unergründlich, und so kam es, dass ich innerhalb einer Woche zuerst im fernen Asien und gleich danach im nahen Kronshagen bei Kiel Lesungen hatte. In Singapur leben Menschen so vieler Nationen, dass sie selbst inzwischen nicht mehr so recht wissen, wer zu welcher Nation gehört. Jeder dort denkt, er würde Englisch sprechen, nur ist es eben seine eigene Variante davon, die nicht einmal der Sprechende selbst versteht, von seinem Gegenüber ganz zu schweigen. Der kann nur ahnen, was gemeint ist. Doch das Leben in Singapur ist dermaßen klar strukturiert, dass es keine Mühe macht, die Leute dort zu verstehen.

Ich hatte drei Lesungen in Singapur, die gut besucht wurden. Hauptsächlich waren Studenten der dortigen Universitäten gekommen, die sich entweder ins falsche Auditorium verlaufen hatten oder von ihren Professoren gezwungen worden waren, sich deutsche Literatur anzutun. Das Studium wird dort nicht nach den in Deutschland beliebten Montessori-Prinzipien als abenteuerliche Reise ins Land des Unbekannten organisiert, sondern vielmehr nach den Prinzipien der fernöstlichen Kampfkünste – als Hürdenlauf mit gebundenen Füßen und Händen. Jahr für Jahr werden den Studenten schwere Aufgaben gestellt, deren Schwierigkeitsgrad sich ständig noch steigert. Derjenige, der nicht kneift, bekommt am Ende ein Diplom und die Aussicht auf einen guten Job.

Deutsche Literatur zu studieren, ist in Singapur eine der schwierigsten Aufgaben, eine Art intelligente Folter. So habe ich es jedenfalls zu hören bekommen. Ich weiß, dass man gerade mit solchen Foltermethoden die Menschen am schnellsten in den Wahnsinn treiben kann – wie in dem alten Witz über Stalin und Hitler in der Hölle, wo Stalin von den Teufeln gleich auf eine heiße Pfanne gesetzt wird, während Hitler neben ihm konzentriert in einem Buch blättert. »Was soll das?«, regt sich Stalin auf. »Hat er etwa weniger Blut vergossen, dass nur ich gebraten werde, während Hitler Bücher liest?« »Er liest nicht«, erklärten ihm die Teufel, »er übersetzt *Das Kapital* ins Hebräische.«

Um das Leben der singapurischen Studenten nicht unnötig zu verkomplizieren, habe ich bei den Lesungen wenig gesprochen. Ich las jeweils nur den ersten Satz einer Erzählung. Der mir zugeteilte Übersetzer, ein südchinesischer Kung-Fu-Schauspieler, las dann aus der englischen Buchfassung den Rest vor. Dabei simulierte er aus Spaß meinen russischen Akzent, der mit seinem südchinesischen Akzent gemischt ganz neue, vorher ungehörte Formen des Englischen hervorbrachte. Ich glaube, die Engländer hätten sich sehr gewundert, wenn sie ihre Sprache aus unserem Munde gehört hätten. Aber es waren keine Engländer im Saal.

Ich hatte großes Glück mit meinem Kung-Fu-Übersetzer. Er war nicht nur in Asien sehr bekannt, sogar in Deutschland hatte mein kleiner Sohn, ein überzeugter Kung-Fu-Kämpfer, bereits mehrere Filme mit ihm gesehen. Beim Vorlesen gestikulierte er heftig, sodass die Veranstaltung halb Vorlesung und halb Kung-Fu-Film war und den Studenten die Aufnahme der deutschen Literatur leichter machte. Überhaupt scheint das Lesen keine singapurische Stärke zu sein, viel lieber gucken die Menschen dort Filme. Wozu lesen, wenn es so viel zu schauen gibt?

Die Literatur, besonders die große deutsche Literatur, ist zu einem beträchtlichen Teil aus Langeweile entstanden. Langweile wurde hierzulande schon immer als äußerst geistreiche Eigenart geschätzt und behandelt. Nietzsche hielt Langeweile für das Einzige, was den Menschen vom Tier unterscheidet, und auch Goethes Faust beschwert sich ständig, wie langweilig ihm sei. »Ich langweile mich so, Mephisto!«, sagt er immer wieder. Aber hätte er sich auch gelangweilt, wenn er einen HD-Fernseher mit drei Dutzend Kung-Fu-Filmen gehabt hätte? Wahrscheinlich nicht. Ihm wäre einiges erspart geblieben. Außerdem hätte er jeden Augenblick mithilfe einer Fernbedienung festhalten können, solange er gewollt hätte, und seine Seele hätte er dabei auch behalten.

Die Singapuraner sind keine Langweiler, deswegen bevorzugen sie Filme, am liebsten Horrorfilme mit Gewaltelementen in 3D. Von der ganzen deutschen Kultur, die in Singapur präsentiert wird, ist deswegen vor allem das Festival des deutschen Films bei den Einheimischen beliebt. Sogar sehr, denn aus Sicht der Singapuraner bestehen alle deutschen Filme aus Horror mit Gewaltelementen, egal ob sie in ihrer Heimat als soziale Dramen über gescheiterte Integration, als Aufarbeitung der eigenen Geschichte, ja sogar als Komödien gedreht wurden.

Im Jahr meines Besuches sollte der Film *Das weiße Band* das Festival in Singapur eröffnen, ein Streifen, der viele Preise in Deutschland und Europa bekommen hatte und ohne Ende gelobt wurde. Ich habe den Film nicht gesehen, die Mutter eines der Hauptdarsteller hat mir den Inhalt aber erzählt. Es geht in dem Film wohl darum, dass Kinder in einem Internat kurz vor Beginn des Ersten Weltkrieges gemäß den damals gängigen Erziehungsmethoden ein bisschen geschlagen und gefoltert werden. Absicht des Regisseurs war es herauszufinden, wie ein Mensch zum Nazi wird. Und seine These lautete: Die mit Folter erzogenen Kinder wollen sich früher oder später rächen und zurückschlagen.

Der Regisseur mag sogar recht haben, doch diese ganze Gedankenspielerei interessierte die Singapuraner nicht. Sie wollten einfach bloß zugucken, wie blonde weiße Kinder in perversen Kostümen von Erwachsenen gefoltert und gepeinigt wurden. Sie hatten ihre eigene Theorie dazu. Sie dachten, es gibt eben Menschen, die Katzen oder Hunde nicht leiden können. Und es gibt Menschen, die können keine Kinder leiden. Diese Menschen arbeiten in Deutschland gerne in Schulen, um die Kids dort zu foltern und dadurch ihre Leidenschaft zu stillen.

Zur Premiere reisten die Hauptdarsteller aus Berlin an: ein Mädchen und ein Junge mit seiner Mutter, die zwar im Film nicht mitgespielt hatte, aber ihren Sohn gerne auf seiner Promotiontour begleitete. Der Junge hatte viel Freizeit in Singapur, denn der Film war auch dort als »ab achtzehn« eingestuft worden, und der Hauptdarsteller war erst vierzehn, durfte den Film also nicht sehen. Das hat den Jungen aber nicht traurig gemacht, ich glaube, er hat sich sogar darüber gefreut. Er hatte den Film bereits fünf Mal gesehen und überhaupt keine Lust auf eine weitere Vorführung gehabt. »Ich gehe lieber an den Strand«, sagte er. Das Mädchen aus dem Film war in ihrem Realleben inzwischen achtzehn Jahre alt geworden, aber noch nicht einundzwanzig. So befürchtete sie, zwar ins Kino zu dürfen, aber nachher nicht in die Bar eingelassen zu werden, wo der Erfolg des deutschen Kinos gefeiert werden sollte. Die freundlichen Singapuraner selbst aber freuten sich auf den Film wie Bolle, ließen alle mitfeiern, servierten bunte Gerichte auf kleinen Untertassen und schenkten aromatische Tees dazu aus.

Zurück in Deutschland schienen mir selbst meine netten Berliner der Gipfel an Unfreundlichkeit zu sein. Sogar »Juten Tach« hörte sich aus ihrem Munde wie eine Drohung an.

In Norddeutschland nieselte es ununterbrochen. In jeder Gaststätte aßen Menschen die dampfende grüne Brühe, und später im Zugabteil wechselte eine Dame ihrem Kind die Windel. Einer anderen Dame wurde dabei richtig schlecht. Wahrscheinlich kann sie keine Kinder leiden.

Sponsorenlauf

Es ist ein Zeichen unserer Zeit, dass niemand mehr erwachsen werden will. Die Alten bleiben bis zu ihrem Lebensabend jung, sie laufen nicht gebeugt mit einem Stock durch die Gegend, stattdessen treiben sie Nordic Walking, gehen schwimmen und in die Ü40-Diskos und kaufen sich Klamotten in »Jugend-Mode«-Läden, weil dort die Sachen praktischer und preiswerter als in Senioren-Läden sind. Die jungen Menschen dagegen werden alt geboren. Ihr Spielzeug sind komplizierte technische Geräte mit bibeldicken Gebrauchsanweisungen, sie werden bereits im Kindergarten über ihre Rechte aufgeklärt und wollen schon in der Grundschule mobil telefonieren.

Ich weiß, es gibt in Deutschland durchaus Orte, wo bevorzugt alte Menschen leben. Dort werden nach zweiundzwanzig Uhr die Bürgersteige hochgeklappt, und auf jeder Straße ist mindestens eine Apotheke oder ein Bestattungsinstitut zu finden. Doch meine Wahlheimat Berlin verkörpert das kindische Zeitalter. Es ist, als hätte diese Stadt alle Kinder Deutschlands aufgesogen. Wenn ich irgendwo auf meinen Lesereisen über Berlin, über die Schönhauser Allee dort oder den Mauerpark berichte, kommen am

Schluss immer Leute aus dem Publikum zu mir und sagen, ich solle ihre Kinder grüßen, denn diese wohnten ebenfalls in Berlin – etwa in derselben Ecke wie ich. Dabei berichte ich auf Lesungen eigentlich stets von verschiedenen Standorten, immerhin bin ich inzwischen achtmal in Berlin umgezogen. Doch die Kinder von diesen Menschen ziehen anscheinend immer mit um. Ob im musikalischen Bayreuth oder im chronisch erkälteten Flensburg, in Köln oder Stuttgart, sogar in Paderborn haben sie Kinder in Berlin oder hatten zumindest früher welche.

Dass die meisten Kinder Deutschlands aus ihren Elternhäusern nach Berlin verbannt wurden und werden, damit sie dort in der aufregenden Atmosphäre einer Großstadt ihre in die Überlänge gekommene Pubertät ausleben können, erklärt vielleicht schon die kindersichere Berlin-Ausstattung: diese ungeheuere Anzahl von Eisdielen, Spielzeugläden mit Schwerpunkt Computerspiele, McDonald's-Filialen, Milchshake-Ausgabestellen, Diskotheken, Maschinenschnitt-Friseuren und ähnlichen Einrichtungen der Kinderbetreuung. Die Verbannung der Kinder soll helfen, die anderen Städte Deutschlands sauber und gepflegt zu halten, wodurch den Eltern und Stadtverwaltungen viel Stress, viele Demos und viel Graffiti erspart bleiben.

Natürlich gehen Kinder nicht einfach so nach Berlin, sondern angeblich, um etwas Wichtiges zu studieren und später mit ihrem an der Uni erworbenen Wissen das Leben in ihren Heimatstädten besser bzw. fortschrittlicher zu gestalten. Doch manche werden von ihren Eltern einfach nicht mehr abgeholt. Fast alle Männer über vierzig zum

Beispiel, die in Berlin leben, wurden von ihren Eltern irgendwann hier abgesetzt und dann sich selbst überlassen. Sie irren erst lange durch die Gegend, aber irgendwann ist ihnen die Berliner Geografie gut vertraut, und sie werden Taxifahrer. Zumindest die meisten von ihnen. Bei sonnigem Wetter sitzen diese zurückgelassenen Kinder in Cafés, schlürfen Milchshakes oder Bier und bilden sich durch konzentrierte Straßenbeobachtung weiter. Wenn sie Familien gründen und selbst Kinder bekommen, begleiten sie diese in die Schule und nehmen dort gerne an verschiedenen makabren Veranstaltungen und Sportfesten teil.

Neulich hatten wir an der Schule meines Sohnes einen Sponsorenlauf. Eine Menge jung aussehender Eltern mit Kindern in Sportanzügen versammelte sich an einem herbstlichen Freitagnachmittag auf dem Schulhof. Die Grundschule meines Sohnes, die seit letztem Jahr nur noch als »Grüne Umweltschule« bezeichnet werden möchte, veranstaltete bereits zum zweiten Mal einen Sponsorenlauf. Beim ersten Mal ging das gesammelte Geld an eine Partnerschule in Ecuador, dieses Jahr sollte mit dem Geld eine Schule in Nicaragua unterstützt werden. Niemand von uns wusste, wer als Erster auf die Idee mit dem Sponsorenlauf gekommen war. War es die Schulleiterin oder ein besonders engagierter Elternteil gewesen? Auf jeden Fall war der Sponsorenlauf eine geniale pädagogische Erfindung, ein kompliziert gestricktes, risikoreiches Finanzprodukt zur Unterstützung des Schulsystems, das gleichzeitig die Kinder sportlich fördert und ihren Eltern das Geld aus der Tasche zieht. Bei einem Sponsorenlauf müssen die Kinder solange sie können um die Schule herumrennen, und die Eltern sponsern den eigenen oder auch den fremden Nachwuchs mit einem Geldbetrag pro Runde. Der Mindesteinsatz beträgt fünfzig Cent, eine Obergrenze gibt es nicht.

Die Zockerqualitäten der Väter waren schon beim letzten Sponsorenlauf zur Geltung gekommen. Diesmal benahmen sich die Väter allerdings anfangs noch vernünftig und zurückhaltend. Der Vater von Peter setzte zunächst den Mindesteinsatz auf seinen Sohn. Ihm war es offenbar nicht peinlich, die Anstrengungen des eigenen Kindes mit einer billigen Fünfzig-Cent-Münze zu unterstützen. Dabei ist der Vater von Peter Erziehungsaktivist. Gleich nach der Einschulung seines Sohnes, bei der allerersten Elternversammlung, schlug er vor, jeder Vater solle sein Kind auf einem Blatt Papier zeichnen und dazu fünf Minuten erzählen, wie er sein eigenes Kind sähe. Die Hälfte der Eltern konnte nicht zeichnen und wies diesen Vorschlag empört als Schwachsinn zurück. Die andere Hälfte war von der Idee jedoch begeistert. Sie hatte sich wahrscheinlich in ihren Kirchenvereinen oder bei den Anonymen-Alkoholiker-Treffen auf diese Weise kennengelernt und zeichnete ihre Kinder seitdem immer wieder gerne. Nach dieser ersten Elternversammlung entstanden so etwas wie zwei Elternparteien – die Maleltern und die Eltern, die nicht malen wollten.

Als der Vater von Birmidschan, der der zweiten Partei angehörte, mitbekam, dass der Vater von Peter nur einen Mindestbetrag auf seinen Sohn gesetzt hatte, lächelte er und setzte einen Euro pro Runde auf Birmidschan. Der Vater von Miroslav überlegte nicht lange und setzte einen Euro fünfzig auf seinen Sohn. Der Vater von Birmidschan verdoppelte daraufhin seinen Einsatz. Der Vater von Miroslav ging mit. Spätestens ab da wurde der Vater von Peter nervös. Er errötete und setzte vier Euro pro Runde auf seinen Sohn, wahrscheinlich in der Hoffnung, der Junge würde sowieso nur zwei Runden laufen und dann schlappmachen. Peter hatte sich in der Klasse nie durch besondere sportliche Leistungen oder Laufqualitäten hervorgetan.

Die Kinder bereiteten sich zum Lauf vor, die Väter standen im Laub und schauten angestrengt aneinander vorbei, bis der Startschuss fiel. Danach starrten alle nur noch auf die Laufbahn. Birmidschan schaffte es siebenmal um die Schule herum, der sportliche Miroslav verließ nach zehn Runden die Laufbahn. Nur Peter lief und lief und lief wie der Hase aus dem Werbespot für Akkus, die ewig halten.

»Mach's nicht zu doll, Junge!«, rief ihm sein Vater zu, sichtlich besorgt um die Gesundheit des Kindes. Gleichzeitig konnte man seine Verwunderung über die Sportlichkeit und die Bereitschaft seines Sohnes, halb Südamerika finanziell zu sanieren, nicht übersehen. Er hatte Peter als Marathonläufer deutlich unterschätzt. Alle Kinder waren inzwischen mit ihrem Lauf fertig, und der letzte Schüler verließ die Strecke – nur der kleine Peter lief, stolz wie Bolle, weiter.

»Is gut!«, rief ihm sein Vater beinahe verzweifelt nach, während die anderen Väter höhnisch grinsten. Sie konnten zwar nicht malen, aber sie konnten rechnen. Sie hatten bemerkt, dass Peter schon mindestens drei Kisten Bier aus dem Familienbudget weggelaufen hatte.

»Hör auf, Junge, willst du, dass dir die Kniescheiben rausfallen?«, bremste der Vater ihn weiter aus.

»Ich kann noch mehr!«, schrie Peter zurück und warf einen Siegerblick ins Publikum. Er war bereits dreißig Runden gelaufen und gerade dabei, das bescheidene Gehalt seines Vaters auf die bedürftigen Bildungsstätten Lateinamerikas zu verteilen. Peter sah dabei nicht einmal müde aus. Auf seinem Gesicht stand geschrieben: »Wenn nicht der ganze Kontinent, so konnten doch zumindest die Schulsysteme von Nicaragua und Ecuador fest mit meiner Leistung rechnen.«

Alle Anwesenden, die mitbekommen hatten, wohin der Hase lief, lachten über diese unmögliche Situation, abgesehen von Peters Vater, der das absolut nicht lustig fand.

»Hör auf zu rennen, und komm sofort hierher«, zischte er laut.

»Ein sportlicher Junge!«, klopften ihm andere Väter auf die Schulter.

»Ja, sehr sportlich!«

»Wir danken Ihnen für Ihr Engagement«, sagte die Klassenlehrerin zum Vater von Peter, als der endlich nach vierunddreißig Runden zum Stehen kam.

»Ich habe gar nicht so viel Geld dabei«, entschuldigte sich der Vater in der Hoffnung, die Klassenlehrerin würde sich auch mit der Hälfte zufriedengeben.

»Sie können es ja überweisen«, meinte diese jedoch – in

einem Ton, der keine Widerrede duldete – und drückte dem Vater von Peter ein Überweisungsformular und einen Kugelschreiber in die Hand.

»Da kannste schön was zeichnen«, zwinkerte ihm der Vater von Birmidschan im Vorbeigehen zu.

Ich lachte damals über dieses kindische Verhalten der Eltern. Doch Großeltern benehmen sich oft noch kindischer. Sie halten sich für unglaublich reif und intelligent, alle anderen sind in ihren Augen Kleinkinder. Entsprechend reden sie auch mit ihren Enkeln. Das ist ein Fehler. Das Schlimmste, was man einem jungen Menschen antun kann, ist, mit ihm über die Schule reden zu wollen. »Na, wie geht's denn so in der Schule? Hast du gute Noten? In welche Klasse gehst du eigentlich?« Der tägliche Schulbesuch ist eine unfreiwillige, aber notwendige Maßnahme, der sich jedes Kind unterziehen muss. Aber zugleich geht mit ihm ein beträchtlicher Verlust der Lebensqualität einher. Gehört es nicht zum schlechten Ton, auf den Schwachpunkten des anderen herumzuhüpfen? Man fragt doch nicht einen Knastbruder, ob er gerne Reisekataloge liest, oder einen Rollstuhlfahrer, ob ihm Sex im Stehen fehlt.

Auf Schulfragen reagieren gut erzogene Kinder mit Schulterzucken, sie lächeln verkrampft, schauen zur Seite und sagen »gut, gut«. Danach wollen sie mit den Älteren über nichts mehr reden. Die sind dann in der Regel beleidigt und denken, die Jungen wären zu doof. Dasselbe denken die Jungen über die Alten. Alter und Jugend sind eben die schwierigsten Lebensphasen, das haben wir in der Familie festgestellt.

Nach der Zeitrechnung meines Sohnes kann man die Menschen grob gesagt in drei Altersphasen einteilen: die Phase, in der man zu jung ist, um die anderen zu verstehen; die, in der man dafür zu alt ist; und die Phase in der Mitte, kurz Mittelalter genannt. Das Mittelalter muss nicht mehr zur Schule, kann sich aber noch gut an diese Einrichtung erinnern.

Ich gehöre zum Mittelalter. Ich weiß noch genau, wie es auf der Schule war, und ich sehe, dass wir damals noch viel kindischer waren als die heutigen Kinder. In beinahe allen Lebensbereichen sind die Schüler dieses neuen Jahrhunderts uns überlegen. Sie können mit komplizierten technischen Geräten umgehen, ein vielseitiges Dokument schnell und beinahe auswendig lernen, zum Beispiel das wöchentliche Fernsehprogramm. Sie sind immer über die wichtigsten Nachrichten informiert, d.h. sie wissen genau, was nächste Woche in die Kinos kommt und bei welchem Film welche Jugendfreigabe gilt. Durch den ständigen Umgang mit Computersimulationen können die meisten von ihnen bereits im zarten Kindesalter Auto fahren, Flugzeuge steuern und automatische Maschinenpistolen bedienen. Und sie müssen ihren Eltern auch keine komischen Fragen über den Ursprung des Lebens mehr stellen, denn sie haben Sexualkunde. Dort werden sie von Fachpersonal in allen Einzelheiten aufgeklärt, wann was wohin kommt und welche Risiken und Nebenwirkungen dabei zu beachten sind. Dazu werden Filme gezeigt und Hausaufgaben verteilt.

Neulich musste die Tochter unserer Freundin eine solche Hausarbeit schreiben. Bei der Frage, ob auch ein Kind vor Erreichen der Geschlechtsreife schwanger werden könne, war sich die Tochter unsicher und fragte ihre Mutter um Rat. Die, ebenfalls im Mittelalter, ist zu ihrer Zeit in der sonnigen sozialistischen Republik Aserbaidschan zur Schule gegangen, hatte also keinen Sexualkundeunterricht. Sie überlegte lange und sagte, unter Umständen könne das schon passieren, komme aber selten vor. Ihre Tochter schrieb es auf und bekam eine Sechs. Die Mutter hatte sich in den Augen der Tochter furchtbar blamiert.

Zur Entstehung von Babys hatte meine Generation viele Vermutungen und ausgeklügelte Theorien parat. Einige glaubten, sie würden sich im Körper der Frau nach der Hochzeit entwickeln, ausgelöst durch den Hochzeitsmarsch von Mendelssohn, der bei jeder Eheschließung auf dem Amt gespielt wurde. Man glaubte, die Entstehung der Kinder sei eine Reaktion des Körpers auf Mendelssohn. Daneben war der Aberglaube weit verbreitet, dass jeder Mensch spätestens mit hundert Jahren sterben müsse. Wir stellten uns das total peinlich vor: Die Gäste kommen zu deinem Geburtstag, der Tisch wird gedeckt, aber der Gastgeber muss ins Grab.

Die Welt unserer Kindheit war eine verkehrte Welt. Die Jungs interessierten sich für die Probleme des Kinderkriegens, die Mädchen dachten über ihre Karriere nach. Sie hatten alle irgendwelche romantische Berufe ins Auge gefasst und trainierten dafür bereits ab der dritten Klasse. Ein Mädchen, das Friseuse werden wollte, verpasste der Katze unseres Schulhausmeisters einen modischen Haarschnitt und schwärzte ihr sogar die Wimpern. Ihre Freundin, die sich eine Zukunft als Kinderärztin ausmalte, wollte mit uns partout das Spritzengeben üben, und meine Grundschulliebe, die Archäologin werden wollte, vergrub einmal im archäologischen Eifer den ganzen Schmuck ihrer Oma auf dem Hof – und vergaß dann, wo. Daraufhin wurden alle Mitglieder ihrer Familie zu Archäologen. Jeden zweiten Tag gingen sie vollzählig mit Schaufeln bewaffnet auf den Hof und gruben nach ihrem Familienschatz – mit wechselndem Erfolg. Mit der Zeit gruben sie seltener, aber immer noch regelmäßig. Irgendwann zogen meine Eltern um, ich weiß also nicht, wie die Schatzsuche schließlich ausgegangen ist. Aber ich gehe davon aus, sie suchen noch immer.

Das beste Lied über das Finanzamt

Als Selbständiger kannst du beinahe alles von der Steuer absetzen, haben mir oft meine Kollegen, alles freischaffende Journalisten, erzählt. Du bist stets am Recherchieren, sogar im Schlaf, also kannst du rein theoretisch natürlich auch dein Kopfkissen als abzugsfähige Sonderausgabe verbuchen. Du musst nur überall Quittungen sammeln und immer, wenn es geht, nach einer Rechnung verlangen, dann kriegst du alles zurück, meinten die Kollegen. Ein Beispiel: Wenn ein Arbeiter oder ein Angestellter abends mit einem Bierchen vor der Glotze hängt und dumpf durch die Programme zappt, heißt es bei ihm: Feierabend. Wenn du aber an seiner Stelle sitzen würdest, dann hieße es: Du bist ein Medienbeobachter und als solcher bemüht, über einen Programmvergleich die deutsche Medienlandschaft kritisch zu hinterfragen. Das Bier in deiner Hand ist eine produktionsbedingte Aufwendung, und die kannst du ebenfalls absetzen zusammen mit der Glotze, dem Sessel und der Fernbedienung, Hauptsache, du zahlst genug Steuern.

Ein Bekannter, der als selbstständiger Steuerberater tätig ist, bestätigte mir dies, meinte allerdings, dass ich dafür höchstwahrscheinlich einen kompetenten selbstständigen Steuerberater brauchte. Ihn zum Beispiel. »Mich kannst du aber auch von der Steuer absetzen, bzw. ich werde mich in deinem Auftrag von deiner Steuer absetzen, sonst setze ich mich selbst immer von meiner Steuer ab.«

Ich war begeistert. Eine neue Welt tat sich auf. Die Beschaffung von Quittungen lief besonders am Anfang sehr schleppend. Als Nachtmensch habe ich, besonders am Vormittag, mies gelaunt meine Mitmenschen mit der Bitte um Quittungen terrorisiert – den Bäcker, den Zeitungsverkäufer... Ich wollte alles quittiert haben, und wir beschimpften uns gegenseitig. Gegen Abend besserte sich meine Laune, aber ich hatte dann keine Lust mehr, Kleinpapier zu sammeln. Im Laufe des Jahres sammelte sich trotzdem eine ganze Menge an. Ich brachte die Kiste zum Steuerberater, und er leitete sie weiter ans Finanzamt. Sie haben sich jedoch als sehr kleinlich erwiesen. Nun streiten wir.

»Sehr geehrter Steuerzahler«, schreibt mir das Finanzamt. »Sie haben eine Quittung für Katzenfutter mit dem Vermerk ›Geschäftsessen‹ abgegeben. Als Anlass der Bewirtung steht ›Katzensex‹, unter ›bewirtete Personen:‹ ›Thomas‹. Wer ist Thomas?«

Ich erhob Einspruch.

Der Einspruch wurde als unbegründet zurückgewiesen.

»Sehr geehrtes Finanzamt«, schrieb ich daraufhin. »Im vergangenen Jahr wurde ich als freier Journalist von der Frauenzeitschrift *Brigitte* beauftragt, eine Recherche zum Thema ›Schwangere Katzen‹ durchzuführen und musste einen männlichen Kater für meine Katze besorgen. Der Kater Thomas wurde mir von seinem Besitzer gegen eine Gebühr von fünfunddreißig Euro für einen Tag überlassen (siehe Quittung Nr. 21). Anstatt sich sexuell zu betätigen, verhielt sich besagter Thomas allerdings sehr unsolide. Er pinkelte in meine Hausschuhe, zerbrach eine Porzellanvase und fraß eine ganze Packung Katzenfutter (Quittungen Nr. 22, 23 und 24). Ich versuchte daraufhin, ihn zur Vernunft zu bringen! Er jedoch versuchte zu fliehen und versteckte sich vor mir bzw. hinter dem Klavier (siehe Quittung Nr. 25). Der Besitzer des Katers weigerte sich, mir die Gebühr zurückzuerstatten. Meine Vermutung, dass Thomas wahrscheinlich eine kastrierte Niete sei, weil Katzen oft ihren Besitzern sehr ähneln, stritt er heftig ab, wodurch zusätzliche Aufwendungskosten entstanden (siehe Quittung Nr. 27, Schuhschrank, und Quittung Nr. 28, Hocker). Nach zwei Wochen stellte sich überraschend heraus, dass Thomas doch sexuellen Kontakt mit meiner Katze gehabt hatte, wenn auch für das menschliche Auge nicht sichtbar. Also konnte ich die Packung Katzenfutter dann doch noch als ›Geschäftsessen‹ verbuchen. Weil weder ich selbst noch ein anderes Mitglied unseres Haushaltes an diesem Essen teilgenommen hatten, steht Thomas unter ›bewirtete Personen‹ allein, was auch vollkommen korrekt ist und ganz der Wahrheit entspricht. Hochachtungsvoll, Ihr Steuerzahler.«

Seit ich diesen Brief abgeschickt habe, kommt keine Reaktion mehr aus dem Finanzamt. Ich glaube, ich habe sie überzeugt und warte nun nur noch auf die Kohle.

Der erste Tadel

Mein Sohn kam aus der Schule und brach in Tränen aus.

»Rette mich, Papa, ich will nie wieder in die Schule gehen!«, heulte Sebastian und konnte sich gar nicht beruhigen. Ich merkte, das Kind stand am Rande eines Nervenzusammenbruchs. Allein das Wort »Schule« ließ ihn erzittern. Was war passiert?

Während einer Klassenarbeit in Englisch hatte Sebastian bei seinem Banknachbarn Leo abgeschrieben. Nicht dass er selbst kein Englisch konnte oder große Schwierigkeiten mit dem Text hatte, es war nur so, dass Leo besonders gut in Englisch ist. Er ist beinahe selbst Engländer und wurde schon als Baby von seinen Eltern mit Englisch traktiert. Für Sebastian war es eine intelligente, logische Lösung, sich bei der Erledigung dieser Klassenarbeit auf die Fähigkeiten seines Nachbarn zu verlassen. Leider vergaß mein Sohn die wichtigste Regel beim Abschreiben: Man darf sich nicht erwischen lassen. Die Lehrerin war mehr als empört und hat, glaube ich, auch überreagiert, als sie Sebastian bei seinem aktiven Austausch mit dem Nachbarn erwischte. Sie nahm dem armen Kind seine Arbeit weg, gab ihm eine Sechs und sagte, er brauche nicht mehr weiterzuschreiben. Als wäre das alles nicht schon schlimm genug, redete sie ihm auch noch ein, alle würden ihn ab sofort wegen seines Abschreibeversuchs hassen und die anderen Lehrer ihn nun verstärkt beobachten. Zu allem Überfluss drohte ihm die Lehrerin, Frau Walzer, auch noch mit einem »Tadel«.

Sebastian wusste nicht genau, was ein Tadel ist. Er stellte sich ein Folterwerkzeug darunter vor, eine Art Nadel, mit der schlechte Schüler gepikt werden, oder noch gruseliger: ein eisernes Halsband plus Handschellen. Er hatte sogar im Internet nachgeguckt, was ein Tadel ist. Dort stand, ein Tadel sei eine Beeinträchtigung der sozialen Anerkennung, was ihm aber den Begriff auch nicht erklärte und nur für neue Angstschübe sorgte.

Sebastian wurde aufgefordert, sich öffentlich für sein Vorgehen zu entschuldigen. Von uns als Erziehungsberechtigten wurde eine schriftliche Erklärung erwartet. Alle zusammen bemitleideten wir Sebastian und regten uns über den pädagogischen Eifer der Gymnasiallehrer auf, die in ihrem Erziehungswahn weit über das Ziel hinausschießen. Dabei erwärmte mein Herz die alte, schon völlig vergessene Freude an dem Gedanken, dass meine eigene Schulzeit vor einem Vierteljahrhundert auf natürliche Weise zu Ende gegangen war und ich nie wieder dorthin zurückmusste. Nun lag es an mir, mit einer Erklärung in Reue meinem Sohn zu helfen. Ich hatte jedoch noch nie eine solche Erklärung geschrieben und hätte sie gerne abgeschrieben – nur bei wem? Anders als Sebastian hatte ich dafür keinen Nachbarn, dem ich über die Schulter schauen konnte. Ich war allein auf meine eigenen Fähigkeiten angewiesen.

»Sehr geehrte Frau Walzer«, schrieb ich. »Mein Sohn Sebastian hat während der von Ihnen den Schülern aufgegebenen Klassenarbeit im Fach Englisch abgeschrieben. Na und? In gewisser Weise ist unsere Kultur auf ständiges gegenseitiges Abschreiben und Abgucken aufgebaut. Politiker schreiben voneinander ihre politischen Programme ab, Philosophen ihre philosophischen Theorien, und auch Künstler lassen sich voneinander inspirieren. Die gesamte Weltliteratur besteht aus drei Geschichten, die immer wieder neu abgeschrieben werden: Entweder läuft sie ihm weg und er ihr hinterher, oder sie läuft ihm hinterher und er weg. Oder beide laufen einander hinterher. Haben wir das nicht alle einmal gemacht und sind dabei früher oder später auf die Nase gefallen? Wie sonst kann der junge Mensch Erfahrungen sammeln, die für sein späteres Erwachsenenleben überlebenswichtig sind? Ich bin seit etlichen Jahren Vater und weiß daher, dass der Charakter eines Menschen nicht aus fertigen Genen zusammengesetzt wird, sondern aus Erfahrungen entsteht, die der Mensch macht, durch Siege und Niederlagen.

Sehr geehrte Frau Walzer, ich möchte mich an dieser Stelle bei Ihnen bedanken, dass Sie meinem Sohn die wichtige Erfahrung vermittelt haben, wie blöd es ist, sich beim Abschreiben erwischen zu lassen. Als Erziehungsberechtigter habe ich stets versucht, meinem Sohn Selbstvertrauen beizubringen, und ihm erklärt, dass man Lehrer nie für dämlich halten soll, auch wenn manche so aussehen. Das ist nur Tarnung. Leider hat mein Sohn nicht auf mich gehört. Die heranwachsende Generation will ihre eigene Erfahrungen machen, alles ganz allein herausfinden. Liebe Frau Walzer, *you know what I mean*. Nun ist Sebastian durch Ihren außerordentlichen pädagogischen Einsatz an den Rand des Nervenzusammenbruches geraten und die ganze letzte Nacht aus Angst vor dem Tadel wachgelegen. Er glaubt inzwischen fest, dass es sich nicht lohnt, bei Ihnen im Unterricht abzuschreiben, es ist viel einfacher, Englisch zu lernen. Ich bitte Sie, meinem Sohn Sebastian den Tadel zu ersparen. Hochachtungsvoll, der Vater von ...«

Trotz großer Skepsis seitens meiner Familie hat der Brief geholfen. Frau Walzer las ihn, fragte Sebastian die Hausaufgaben ab, er gab gute Antworten, bekam eine Eins, und der Tadel wurde nicht aus dem Holster gezogen. Sebastian rief mich gleich in der Pause von der Jungstoilette aus an. Aus der Schule anzurufen ging nicht – das war verboten. Er hat mir alles voller Glück in der Stimme erzählt. Vorläufig gerettet.

Alles lebt

Auf der Schönhauser Allee gibt es zwischen den vielen Kebabimbissen, Wurstbuden und Chinaboxen auch ein fortschrittliches Restaurant, *Grüne Küche* genannt, mit einer kleinen feinen Auswahl an guten Weinen, einem großen Kamin und einem gewissenhaften Koch. In der Speisekarte steht etwas pathetisch, die Inhaber wollten die Erinnerung und die Gegenwart auf einen Teller bringen, ihre Leidenschaft und den Geschmack ihrer Produkte verschmelzen. Große Worte, die auf große Taten neugierig machen. Es klingt immer erfolgversprechend, wenn Menschen ihre Arbeit als Leidenschaft begreifen und nicht als bloße Geldbeschaffungsmaßnahme. Meine Frau und ich haben uns jedenfalls über dieses Restaurant, als es eröffnet wurde, sehr gefreut. Von einem Imbissbesitzer oder von einem McDonald's-Angestellten kannst du nicht erwarten, dass er mit seinen Gerichten leidenschaftlich verschmilzt. Tut er es trotzdem, muss er sich danach lange waschen und parfümieren. Aber in einem feinen Restaurant lässt sich so etwas sicher machen.

Wir wären gerne auch öfter hingegangen, allein schon der guten Weinkarte wegen, nur unsere Tochter machte nicht mit. Das Problem war, dass in diesem Restaurant niemals Tiere aus Massentierhaltung in der Küche landeten, sondern nur Wildtiere aus Wald und Feld. Und das war für die Kinder, selbst für meine Tochter, die sich Teenager nennt – also als halben Erwachsenen sieht –, ein Schock. Nicole standen jedes Mal die Haare zu Berge, wenn sie die Speisekarte der *Grünen Küche* las. Dort stand zum Beispiel als Vorspeise »Kaninchensalat«. Im alltäglichen Gebrauch bedeutete Kaninchensalat bei uns eine Packung mit klein geschnittenen Mixsalaten, die wir dem Kaninchen Ringo und dem Meerschweinchen Lisa gaben. Beide leben in einem Haus bei uns auf dem Hinterhof im Rahmen eines nachbarschaftlich organisierten Biotops. Im Restaurant *Grüne Küche* bedeutete Kaninchensalat jedoch nichts anderes, als dass ein enger Verwandter des Kaninchens Lisa gehäutet, gekocht, durch einen Fleischwolf gedreht und abschließend mit Rucola vermischt wurde.

Die *Grüne Küche* hat niemals gewöhnliche Hühner oder Schweine im Angebot, dort gibt es stattdessen Fasane und Wildschweine, die oft in einer besonders perversen Form serviert werden, zum Beispiel als Rillettes in klitzekleinen Döschen. Ein Kind mit lebhafter Phantasie kann sich sehr leicht vorstellen, wie lange der Koch an dem armen Wildschwein herumschneiden muss, um aus ihm die kleinen Rillettes herauszuschnibbeln. Als Hauptgang werden Wildtaubenbrust oder Rehrücken verzehrt. Die Portionen sind, wie gesagt, klein, damit die Gäste mehrere Gänge zu sich nehmen können. Der frische Rehrücken passt in ein Löffelchen. Das lässt die Kinder denken, dem armen Vater von Bambi wäre aus dem Rücken Zentimeter für Zentimeter etwas herausgeschnitten worden, was zu furchtbaren Rückenschmerzen geführt haben musste.

Meine Tochter weigert sich, zur *Grünen Küche* mitzukommen.

»Wieso kommt Ihre Tochter nicht? Wir haben doch auch vegetarische Gerichte!«, wundert sich der Koch.

»Die Sache ist die: Meine Tochter ist gar keine Vegetarierin, sie isst gerne Fleisch, nur eben keine Tiere«, erkläre ich ihm.

Wenn wir ins Restaurant gehen, macht Oma zu Hause Cevapcici für sie. Diese Cevapcici mag Nicole sehr, sie isst sie mit großer Lust und reinem Gewissen. Sie weiß mit Sicherheit, dass Cevapcici in der freien Natur nicht vorkommen. Sie haben keine warmen Pfoten und kein niedliches Gesicht, sie springen nicht von Baum zu Baum und sitzen nicht im Zoo hinter Gittern. Nicole war bestimmt mindestens zwanzigmal in verschiedenen Zoos verschiedener Länder, und in keinem Gehege saßen Cevapcici. Auch Chicken Wings mag meine Tochter, diese dreieckigen scharfen Dinger, die täuschend echt wie Hühnerflügel aussehen. Aber Nicole weiß, niemals würden Hühner mit so viel würziger Marinade auf den Flügeln abheben können.

Ich habe keine Eile, das Kind aufzuklären, schließlich ist es gerade in einem Alter, da es noch wächst und die richtige Ernährung besonders wichtig ist. Ich selbst bestehe schon lange nur aus Mitleid dem Lebendigen gegenüber, denn ich sehe, dass alles lebt. Es lebt und wird entweder niedergetrampelt oder geschluckt oder getrunken oder zerdrückt oder ignoriert und stirbt dann von allein. Ich weiß nicht, was besser ist. Auch die Cevapcici kriechen in ihrer Freizeit bestimmt über das eine oder andere Feld, aber sie tun es wahrscheinlich nur nachts, damit die Kinder sie nicht sehen. Meinen Erkenntnissen zufolge ist alles Leben miteinander verschmolzen. Man bringt das eine um, indem man das andere rettet. Oder wie die lustigen Russen sagen: Einen Biber gegessen – einen Baum gerettet.

Alle lieben Lisa

Nichts schweißt die Menschen stärker zusammen als die Liebe. Vielleicht noch das Essen, wobei das eine mit dem anderen verbunden ist. Oft nämlich wird die Liebe nicht durch Sex, sondern durch Fütterung erhalten. Aus meiner Kindheit kenne ich das: Wenn ich zu lange draußen spielte, rief meine Mutter: »Komm nach Hause, das Essen wartet!« Sie sagte nicht, deine Mutter wartet oder die Oma oder deine Hausaufgaben. Nein, die Buletten mit Bratkartoffeln warteten ungeduldig, sie schauten auf die Uhr, wann kommt er denn?, sie konnten keine Ruhe finden und wurden langsam kalt.

Nicht anders ist es heute in meiner Familie. Das Bedürfnis, jemandem seine Liebe zu zeigen, bedeutet gleichzeitig, ihn zu füttern, und umgekehrt. Meine Mutter und meine Schwiegermutter lieben uns, sie kochen ununterbrochen für uns, quasi jeden Tag. Wir, ihre Kinder, selbst schon Eltern, lieben unsere Kinder ebenfalls, mögen aber das Kochen nicht, stattdessen kaufen wir unseren Kindern Brezeln und reichen das Essen der Großeltern an sie weiter.

Die Kinder wiederum lieben unseren Kater mit dem

schwer auszusprechenden Namen Fjodor Dostojewski über alles. Sie stellen ihn den Gästen eingedeutscht als Theodor vor, füttern ihn mit Trockenfutter und geben ihm außerdem das streng riechende Zeug aus den kleinen Konservenbüchsen, die extra für Katzen produziert werden.

Der Kater liebt das Meerschweinchen Lisa, das bei uns im Badezimmer in einem Käfig überwintert. Nicht nur er, alle lieben Lisa, nur hat diese Liebe bei unserem Kater außerirdische Dimensionen erreicht. Versteinert wie ein Denkmal verbringt Fjodor Stunden vor der Tür des Badezimmers, und kaum geht die Tür auf, springt er hinein, klebt buchstäblich an dem Käfig, zwinkert mit beiden Augen, schnurrt und grunzt erotisch. Die Liebe unseres Katers zu Lisa ist sehr stark. Nicht einmal Romeo hat seiner Julia so viel Aufmerksamkeit geschenkt. Der Kater verliert sich völlig in Lisas Anwesenheit, ihm läuft bereits die Spucke aus dem Mund, wenn er das Meerschweinchen nur sieht. Lisa liebt allerdings nur ihre Körner – zumindest lässt sie sich nichts anderes anmerken –, behält stets die Fassung, kehrt dem Kater gelegentlich den Hintern zu und kackt ausdauernd in seine Richtung. Trotzdem verliert der Kater nicht die Hoffnung. Ehrlich gesagt, bin ich skeptisch, was die Zukunft dieser Beziehung angeht. Die Hoffnung des Katers, die Käfigtür würde sich eines Tages plötzlich öffnen, Lisa herauskommen, er sie zärtlich umarmen, zu seiner Schale mit Trockenfutter begleiten, »Alles, was meins ist, ist auch deins« in ihr Meerschweinchenohr miauen und Lisa dann füttern – das ist doch ein völlig kindischer Traum. Niemals wird Lisa ihren Käfig verlassen. Außerdem steht sie, wie gesagt, auf Körner, nicht auf Katzenfutter.

Noch mehr als Körner liebt Lisa allerdings Russisch Brot, diese leckeren Kakaokekse in Form von Buchstaben, die zusammen mit »russischen Eiern« und »russischem Salat« seit Urzeiten für ein völlig falsches Bild von der russischen Küche im Westen sorgen. Russisch Brot ist eine typische deutsche Erfindung, in Russland gibt es so etwas nicht. Irgendwelche Buchstaben aus Brot zu schneiden, würden die Russen für pervers und abstoßend halten. Brot ist in Russland heilig. »Brot ist in jeder Sache der Kopf« lautet ein altes russisches Sprichwort. Ein anderes besagt: »Nur Brot macht reich.« Sogar die Große Oktober-Revolution konnte ohne Brot nicht stattfinden. In der Schule lernten wir, dass Wladimir Iljitsch Lenin während seines Aufenthaltes im zaristischen Knast nur altes Brot und Milch zu Mittag bekam. Anstatt es zu essen und zu trinken, bastelte Wladimir Iljitsch Lenin aus dem Brot einen Tintenhalter, die Milch benutzte er als unsichtbare Tinte. Damit schrieb der Revolutionsführer seine für die Wächter des zaristischen Regimes unsichtbaren Revolutionsanweisungen, die er dann an die Genossen verschickte. Wenn er merkte, dass die Wächter des Regimes in die Nähe seiner Zelle kamen, aß er den Tintenhalter mitsamt Inhalt schnell auf. Wenn Lenin im Knast stattdessen Russisch Brot bekommen hätte, hätte er es bestimmt ohne zu überlegen gleich weggeputzt. Dann wären seine Anweisungen an die Genossen nicht zustande gekommen, und die Revolution hätte möglicherweise gar nicht stattgefunden.

Lisa kann eine ganze Packung Russisch Brot auf einmal verputzen, ohne irgendeine Anweisung dabei zu geben. Eigentlich dürfte sie es gar nicht essen, aber sie wird immer ganz aufgeregt, wenn sie welches sieht, deswegen bekommt sie immer mal wieder ein paar Buchstaben in den Käfig gelegt. Denn alle lieben Lisa.

Schneechaos in Deutschland

Über den Winter wird in Deutschland bevorzugt in einer speziellen Katastrophensprache berichtet. Wenn ein paar Schneeflöckchen vom Himmel fallen, heißen sie in den Nachrichten sofort »heftige Schneefälle«. Wenn diese Schneeflöckchen ein paar Tage liegen bleiben, werden sie zum »Schneechaos in Deutschland« ernannt, wenn sie sich später auflösen, heißt das »Glatteisgefahr!«. Autos, Züge, Flugzeuge, beinahe alle Transportmittel bleiben stehen, die Menschen laufen durch die Straßen wie besoffene Seiltänzer, rutschen aus, werden dabei mit besonderem Zynismus gefilmt und bilden so den Höhepunkt des abendlichen Fernsehprogramms. Es werden sogar Quizshows ausgestrahlt, bei denen der Zuschauer raten muss, wer von den gezeigten schwankenden Fußgängern demnächst fällt und wer nicht. Die Krankenhäuser sind mit hingefallenen, ausgerutschten Bürgern überfüllt.

Russen können sich aus meiner Sicht etwas besser auf dem Eis bewegen. Das mag ein Klischee sein, aber ein wahres. Vielleicht hat es damit zu tun, dass Russen grundsätzlich mehr vor sich auf die Erde gucken und aufpassen, wo sie hintreten. In Russland sind Fußwege traditionell ein Schwachpunkt der Landschaft, man kann auf ihnen sogar im Sommer sehr tief fallen. Dazu kommt natürlich, dass die meisten meiner Landsleute seit ihrer Kindheit sehr viel Eiskunstlauf im Fernsehen sehen mussten, es war nämlich das mit am häufigsten gesendete Programm. Meine Mutter schaut sich solche Sendungen auch in Deutschland an, sie hat dafür extra das russische Fernsehen abonniert. Jeden Abend wird in diesen Programmen auf dem Eis getanzt. Ihre Lieblingsprogramme heißen *Die Eiszeit* und *Stars am Stiel* oder so ähnlich. Alle Schauspieler, Sänger oder Nachrichtensprecher in Russland müssen ohne Ausnahme gut Eislaufen können und dabei singen, deklamieren oder Nachrichten sprechen. Nach dem Eiskunstlaufschauen ahmt meine Mutter unbewusst die Läufer nach, wenn sie einkaufen geht und selbst auf Eis gerät. Sie bewegt sich immer etwas nach vorne gebückt und kann sich sogar im Gehen um die eigene Achse drehen.

Gleichzeitig mögen die Russen die Kälte nicht. Meine Frau, die auf Sachalin, einem sehr kalten Ort, geboren wurde, kann Schnee überhaupt nicht leiden. Sie nennt ihn »Faschismus der Natur«. Russen hatten schon immer eine große unerfüllte Sehnsucht nach südlichen Temperaturen. Mit der Zeit entwickelten sie eine Art Wunschdenken: Egal wie kalt es tatsächlich draußen war, das Land tat so, als würden alle von einer inneren Sonne erwärmt stets ins Schwitzen geraten. Überall, in allen Behörden oder Fabriketagen, standen Palmen und ewig grüne Kakteen in großen Töpfen. Die unzähligen Eiskioske, Limonade- und Bierautomaten versorgten die heiß gelaufenen Bürger noch bei minus zwanzig Grad mit Kälte spendenden Getränken und Süßigkeiten. Im allgemeinen Warendefizit waren Sonnenbrillen und leichte Hüte eine Ausnahme, es gab sie überall und bei jedem Wetter zu kaufen. Auch den geliebten Wodka trank man am besten eiskalt, aß dazu ebenso kalte Salzgurken, eingelegte Pilze, Tomaten und Knoblauch und machte es sich auf dem inneren Strand der russischen Seele bequem. Nichts fiel uns einfach so vom Himmel zu außer Schnee, und den Sommer haben wir uns stets mit großer Mühe quasi per Hand gemacht. Deswegen waren diese Sommer die heißesten Sommer meines Lebens. Seitdem vertraue ich diesen leichten südländischen Sommern nicht. Alles Mühelose macht einen misstrauisch, alles, was mit Schweiß und Fleiß produziert wird, zieht die Leute dagegen an.

Auch in Deutschland stimmt diese banale Weisheit. Nehmen wir beispielsweise unseren Bioladen auf der Schönhauser Allee. Dort genießen die Lebensmittel die größte Popularität, die in einem besonders anstrengenden Arbeitsprozess entstanden sind: Joghurts, die in einer brandenburgischen Molkerei von Menschen mit Behinderungen hergestellt werden, und von Invaliden per Hand gedrehte Makkaroni. Mein absoluter Fleißfavorit in diesem Laden ist der Yukatanhonig. Dieser Honig stammt vom nördlichen Teil der Halbinsel. Auf der Honigbüchse steht, dass dieses Produkt überhaupt die einzige Form der landwirtschaftlichen Aktivität in dieser Gegend ist. Wegen der komplizierten Wetterbedingungen blühen dort kaum Blumen, und die Bienen werden ständig vom starken

Wind aufs Meer verweht. An solchen Tagen gehen statt der Bienen die Ureinwohner auf Nektarsuche in den Wald. Mit leichtem Summen laufen sie durch die nördlichen Buschwälder Yukatans, tage-, manchmal sogar wochenlang, und sammeln am eigenen Körper die letzten Tropfen des Nektars unsichtbarer kleiner Blüten. Ein Stamm der Maya-Indianer muss wohl eine Woche lang durch die Büsche rennen, um eine Büchse dieses wunderbaren Honigs vollzubekommen. So etwas essen die Menschen in Europa total gerne. Ich habe schon mehrmals gesehen, wie schnell die Yukatanhonig-Regale leer geräumt waren. Fremder Fleiß macht Faule heiß.

Die Känguru-Wettbewerbe

Die Idee aus Regierungskreisen, einige Universitäten in Elite-Universitäten umzubenennen, erinnerte mich an meine eigenen sowjetischen Universitäten. Offiziell durfte meine Heimat keine Eliten haben, unsere Politik war auf Gleichheit und Gleichberechtigung aller Bürger ausgerichtet. Doch in diesem allgemeinen Trend der Gleichstellung fanden sich immer einige, die gleichberechtigter sein wollten als die anderen. Jeder Betrieb, jede Parteizelle, selbst ein Kuhstall hatte seine eigenen »Eliten«, die sich vom Fußvolk deutlich abgrenzten.

Als Elite-Universitäten galten in meiner Heimat die Ausbildungsstätten, die in der hundertseitigen Broschüre mit dem hochphilosophischen Titel »Wohin nach der Schule?« nicht vermerkt waren. Sie wurden trotzdem gefunden. Es galt als sicher, dass die Elite-Jugend ihren Platz an der Sonne auch ohne eine solche Broschüre entdecken und allein durch ihre Intelligenz oder mithilfe ihrer Elite-Eltern den Weg auf den richtigen Campus finden würde. An diesen Universitäten eingeschrieben, mussten sie auch keine Angst haben, in die sowjetische Armee einberufen zu werden. Sie hatten ihre zukünftige Karriere fest im Griff.

Auf meinen Universitäten klappte das nicht. Die Theaterschule beispielsweise, die ich besuchte, konnte mich trotz guter Noten nicht vor der Einberufung in die Armee schützen. Als die Zeit dafür gekommen war, wurde ich feierlich in Begleitung eines Orchesters mit Pauken und Trompeten in einen Bus gesetzt und in einen Wald gefahren, wo sich der zweite Raketenabwehrring des sogenannten Moskauer Verteidigungskreises befand. Dort beobachteten wir Tag und Nacht angestrengt alle tief fliegenden Ziele. Vor allem interessierten unsere Einheit unsichtbare amerikanische Beobachtungsflugzeuge, die nicht auf dem Radar auftauchten. Diese unsichtbaren amerikanischen Flugzeuge jagten wir zwei Jahre lang, ohne jemals eins gesehen zu haben. Das war uns auch klar, denn sie waren ja, wie gesagt, unsichtbar.

Heute bin ich mir unsicher, ob es diese Flugzeuge überhaupt gegeben hat. Vielleicht waren sie nur ein Gerücht? Den Raketenabwehrring gab es aber sicher, deswegen musste es eigentlich auch die unsichtbaren Flugzeuge gegeben haben. Von dieser Annahme wird heute meine Flugangst genährt. Jedes Mal, wenn ich nach Russland fliege, fürchte ich, unsere Maschine könnte mit einem solchen unsichtbaren amerikanischen Flugzeug von damals zusammenstoßen oder mit einem aus der neuen Generation, die noch unsichtbarer als die vorherigen sind.

Meine Universitäten sind mit dem Studieren von Erfundenem und dem Beobachten von Unsichtbarem zur Ende gegangen. Trotzdem oder gerade deswegen zählte ich mich zur Elite des Landes. In Deutschland ist es hingegen viel schwieriger für einen jungen Mann, Eingang in die Elite zu finden. Woher soll er wissen, ob er zur Elite gehört, das sagt einem doch keiner! Mit den Elite-Unis kann die Regierung die Eliten endlich festnageln. Es muss bloß noch etwas klarer definiert werden, ab wann man dazugehört – gleich nach dem Betreten der speziellen Uni oder nach der ersten bzw. letzten Prüfung. Und was ist mit denjenigen, die es sich nach vier bis sechs Semestern anders überlegen? Dürfen sie sich dann als Halb-Elite bezeichnen?

Weil Deutschland keine normale, sondern eine Leistungsgesellschaft sein möchte und Leistung, ein technischer Begriff, sich am besten in Zahlen ausdrücken lässt, werden bereits in der Schule groß angelegte Mathematik-Wettbewerbe veranstaltet, wodurch jedes Kind eine Nummer, einen Platz in der Gesellschaft zugewiesen bekommt. Mein Sohn Sebastian kam neulich stolz aus seinem Gymnasium nach Hause und meinte, ich solle ihm zum siebenhundertvierunddreißigsten Platz gratulieren, den er bei einem wichtigen Mathe-Wettbewerb gewonnen habe. In diesem sogenannten Känguru-Wettbewerb – einem von vielen – werden wahrscheinlich die zukünftigen Mathe-Eliten ausgesiebt. Ich stotterte etwas über Sebastians Platz. Ich war mir unsicher, ob man ihn als Gewinner oder Verlierer ansehen musste. In meiner Vorstellung lagen die Gewinnerplätze eher im einstelligen Bereich. Natürlich kommt es aber auch darauf an, wie viele Teilnehmer es insgesamt waren. Beim Känguru-Wettbewerb hatten mehrere hunderttausend Schüler mitgemacht, ich glaube so ziemlich alle Schüler, die es in Deutschland gibt. Nun haben sie alle einen Platz an der Sonne und wissen, wo sie stehen.

Die Teilnahme am Wettbewerb war natürlich freiwillig, erzählte mir Sebastian, doch nur ein Verrückter hätte darauf verzichtet. Alle Schüler, die mitgemacht hatten, durften danach sofort nach Hause gehen, auch wenn sie auf ihre Zettel gar keine Lösungen geschrieben hatten. Für diejenigen, die sich keinen freien Tag gewünscht und am Känguru-Wettbewerb nicht teilgenommen hatten, gab es eine extra Stunde Sport zusammen mit älteren Gymnasiasten, d.h. sie mussten sich von größeren Kerlen im Zweifelderspiel mit Bällen bewerfen lassen. Für die Mitmacher gab es dagegen Preise, und das nicht nur für die Gewinner. Der Hauptpreis war ein T-Shirt mit einem Känguru drauf, und Sebastian bekam als Siebenhundertvierunddreißigster eine Packung Gummibärchen. Der Wettbewerb wurde von den Schülern selbst finanziert, erklärte mir Sebastian. Jeder Teilnehmer musste zwei Euro für einen Auszeichnungsfonds zahlen. Bei so vielen Teilnehmern rechnete ich mit dickeren Preisen als Gummibärchen, doch wie jeder Wettbewerb hatte bestimmt auch dieser einen Vorstand und eine Prüfungskommission, alles lebendige Menschen, die sich anders als Kängurus nicht nur von trockenen Pflanzen ernährten.

Es wäre für mich höchst interessant zu verfolgen, wie sich die Schicksale der unterschiedlichen Känguru-Teilnehmer in Zukunft entwickelten: Wo würden die Ersten und wo die Letzten landen? Vor allem aber würde mich interessieren, was mit den wenigen Mutigen geschah, die ihre Teilnahme am Känguru-Wettbewerb verweigert hatten. Man könnte daraus einen neuen wissenschaftlichen Zweig entwickeln: die sogenannte soziale Kängurulogie, die sich mit der Eliten-Bildung in der Gesellschaft beschäftigt. Ich bin aber zu faul dafür, deswegen konzentriere ich mich lieber auf einen einzigen Gewinner dieses Wettbewerbes – auf den Inhaber des ehrenwerten siebenhundertvierunddreißigsten Platzes.

Ausländer in Deutschland

Glaubt man dem Nationalatlas der Bundesrepublik, wird die Differenz zwischen dem Staatsvolk und einem großen Teil der Wohnbevölkerung, im Volksmund »Ausländer« genannt, immer größer. Zur Zeit beträgt der Anteil beinahe acht Millionen und vergrößert sich quasi stündlich. Ausländer stellen in Deutschland ein ernstes Problem dar. Sie kommen freiwillig hierher, und viele bleiben ihr ganzes Leben lang. Da kann etwas nicht stimmen, die Einheimischen wittern schlechte Absichten. Denn die Erfahrungen aus der Geschichte zeigen, niemand kommt einfach nach Deutschland, um ein paar Bilder von alten Kirchen und Schlössern zu knipsen – außer japanischen Touristen. Deswegen geht es in fast jeder politischen Debatte um die Ausländerproblematik. Gleichzeitig werden unzählige Forschungsarbeiten in Auftrag gegeben, um festzustellen, was diese Ausländer für Menschen sind und warum sie sich ausgerechnet für Deutschland entschieden haben, obwohl es so viele andere Länder drum herum gibt.

Deutschland ist noch nie durch überschäumende Gastfreundlichkeit aufgefallen, im Gegenteil zeigte es sich oft sehr kämpferisch, wenn es galt, die ungebetenen Gäste wieder loszuwerden. Obwohl relativ mächtig und industriell hochentwickelt, hat Deutschland nie mit seinen europäischen Nachbarn an einem Tisch in der Schulkantine gesessen, es ging seinen eigenen Weg. Dafür wurde das Land ständig von den Nachbarn gehänselt und gemobbt. Während die Franzosen und die Engländer sich gern als die Wiege der Weltkultur inszenierten, hat Deutschland noch heute das Selbstverständnis einer Tiefgarage: Es glaubt, jeder Fremde, der hierherkommt, will sich entweder ein neues Auto klauen oder an die sauberen Wände pissen. Nie war Deutschland ein Einwanderungsland, fremde Kulturkreise goutierte man am liebsten nur im Fernsehen. Für drei Euro ein Kind in Afrika retten – bitte schön. Für einen Euro einen Tiger im Regenwald schützen – sehr gern. Sollte sich der Tiger aber einmal hierherschleichen, würde er sofort zurück nach Asien abgeschoben.

Dafür war Deutschland lange Zeit ein Auswanderungsland. Zwischen 1820 und 1920, während die Nachbarländer ihre Kolonialpolitik betrieben, wanderten sechs Millionen Deutsche aus. Sie fuhren nach Amerika, Kanada oder Argentinien, um dort die desolate wirtschaftliche Lage ihrer Heimat auszusitzen. Später mussten die europäischen Nachbarländer für ihre Kolonialpolitik büßen und halb Indien bzw. halb Afrika bei sich aufnehmen. Deutschland blieb deutsch und freute sich darüber.

Bis in die Fünfzigerjahre hinein gelang es dem Land, sich in dieser jungfräulichen Form zu halten. Die ersten Pannen kamen mit der Vollbeschäftigung, die das Land kalt erwischte. Deutschland fing aus pragmatischen Gründen an, Arbeitskräfte im Ausland anzuwerben. Es sollten junge gesunde Männer sein, die bereit wären, für niedrigste Löhne schwerste Arbeit zu verrichten. Die ersten waren Italiener, Jugoslawen, Türken, Koreaner und Portugiesen, die sorgfältig ausgewählt wurden. Man stellte jeden Einzelnen von ihnen auf die Waage und schaute jedem in den Mund, damit er nicht, statt zu arbeiten, gleich zum Zahnarzt musste. Die DDR warb die Arbeitskräfte im sozialistischen Lager an: Vietnamesen, Angolaner und Kubaner kamen, um ihre internationale Pflicht auf den Baustellen des Sozialismus zu erfüllen. Sie blieben, auch als der Sozialismus verschwand.

Seitdem fühlt sich ganz Deutschland von seinen Ausländern bedroht und beschimpft sie, wo es nur geht. Oder streitet darüber, wie man sie am besten integriert. Die ewige Integrationsdebatte erinnert an die alte Schildkröte, die vor fünfzig Jahren begonnen hat, aus dem Zoo auszubrechen, aber niemand hat es bisher bemerkt, weil sie noch immer nicht ihr Gehege verlassen hat. Eigentlich hatten die Deutschen niemals vor, jemanden bei sich zu integrieren. Damals, als die Ärmsten der Armen angeworben wurden, um in Deutschlands Zechen zu schuften, hat man besonders gerne Analphabeten genommen, damit sie nicht auf den Gedanken kämen, ihre Arbeitsverträge genau zu lesen, bevor sie ihr Kreuz daruntersetzen. Auf die Idee, dass diese robusten Männer ihre Familien mitnehmen, sich in Deutschland fortpflanzen und dort alt werden könnten, statt zurück nach Hause zu fahren, auf diese Idee kam damals niemand. Keiner dachte daran, dass es ihnen in Deutschland gefallen könnte. Dass sie auch dann noch bleiben würden, wenn die Kohle alle war – samt ihren Kopftuch tragenden Frauen, ihren Unverständliches predigenden Imamen und ihren rappenden Kindern. Ihre neue Leistung ist es, die schwarzen Schafe Deutschlands zu sein.

Als demokratisches Land, das die Menschenrechte achtet und sich gegen jegliche Form von Diskriminierung wehrt, darf Deutschland seine Ausländer nicht alle auf einmal abschieben, nur ein paar im Jahr. Die Hoffnung, dass sie von alleine verschwinden, wird aber immer geringer. Für jeden Abgeschobenen werden hier zehn neue geboren. Denn nach wie vor sind die meisten Ausländer männlich, robust und vermehrungsfreudig, abgesehen von den Thailändern, bei denen auf 500 Frauen weniger als hundert Männer kommen. Diese Gruppe wurde aber auch nicht für die Großindustrie, sondern für das kleine Vergnügen ins Land geholt und nicht rechtzeitig zurücktransportiert. Inzwischen muss sich Deutschland nach allen Seiten hin der Ausländer erwehren. Vom Westen aus sickern »Islamisten«, »Hassprediger« und »Schläfer« ein, von Osten drängen »Huren«, »Kriminelle« und »Schleuserbanden« zu Tausenden ins Land. Die Polen werden als »Autodiebe« eingeschätzt, die Vietnamesen als »Zigarettenmafia«, und die Afrikaner versorgen die »Drogenszene«.

Die statistischen Untersuchungen machen deutlich, wie die Ausländer Deutschland untereinander aufgeteilt haben. Jede Gruppe hat laut Nationalatlas ein eigenes spezifisches Ansiedlungsmuster entwickelt. Die Briten und

Franzosen bevorzugen als Siedlungsräume ihre ehemaligen Besatzungsgebiete, dort fühlen sie sich noch immer wohl. Die Niederländer lassen sich in der Nähe der holländischen Grenze nieder. Der Inder mag Frankfurt am Main, den Russen zieht es nach Frankfurt an der Oder. Die Italiener sonnen sich hauptsächlich im Süden der BRD, während die Türken und die Griechen sich bevorzugt an Rhein und Ruhr ansiedeln. Die Vietnamesen und Kubaner stellen den größten Ausländeranteil in den neuen Bundesländern.

Inzwischen schottet sich Deutschland, so weit es nur geht, ab. In den weißrussischen Konsulaten wird als Grund für die Visumabsage »Bekämpfung der Prostitution« angegeben, in der Ukraine »Bekämpfung der Kriminalität«. In Vietnam sagen sie wahrscheinlich »Wir sind ein Nichtraucherland«, wenn jemand ein Besuchsvisum nach Deutschland beantragt. Diese pragmatische Haltung ist jedoch wenig erfolgreich. Die Ausländer kommen nun aus Trotz. Nur einmal hat man Fremde nicht aus pragmatischen Gründen ins Land gelassen: 1990 gab die untergehende DDR-Regierung einigen Tausend Juden aus der Sowjetunion eine Aufenthaltserlaubnis als symbolische Geste der Wiedergutmachung. Sie wurden nicht zum Arbeitseinsatz geholt, viele von ihnen bekamen sogar Sozialhilfe. Nach der Auflösung der DDR musste die BRD auch noch diese Zuwanderung ohne jeglichen Nutzen zähneknirschend weiter tolerieren – ein typisches Erbe einer Diktatur.

In einer richtigen Demokratie gibt es eigentlich keinen

Platz für symbolisches Handeln. Was hat die Welt gelacht, als Nordkorea am 31. August 1998 seinen ersten Sputnik ins All schoss. Dieser Sputnik hatte keinerlei praktische Bedeutung, seine einzige Aufgabe war es, rund um die Uhr Grußbotschaften an den koreanischen Generalsekretär zu senden. Da haben sich die Pragmatiker auf die Schenkel geklopft. So ein aufwendiges und teures Projekt – für nichts und wieder nichts. Dabei hätte man mit einem solchen Satelliten so viel Geld verdienen können! Zum Beispiel verschlüsselte Softpornos ausstrahlen oder Grenzen kontrollieren. Die Koreaner fühlten sich von der Welt missverstanden und bauten daraufhin ihren Sputnik ganz pragmatisch zu einer Atombombe um.

Die deutsche Sexualproportion

Frauen stellen in Deutschland die Mehrheit, in manchen Touristenbussen, die auf Kaffeefahrten durch Deutschland düsen, sogar eine satte hundertprozentige Mehrheit. Dabei werden Männer und Frauen in gleicher Anzahl geboren. Die Statistik der Sexualproportion ist wie keine andere vom Alter abhängig. In jungen Jahren, gleich nach Erreichen der Volljährigkeit, legen die Männer los und dominieren statistisch gesehen in so ziemlich allen Regionen des Landes, besonders aber in den neuen Bundesländern, in denen es auf hundert junge Frauen immer mindestens zwanzig junge Männer zu viel gibt. Doch wenn sie fünfundzwanzig werden, verändert sich die Sexualproportion rasant. Der Anteil der männlichen Bevölkerung reduziert sich dann drastisch bis zum fünfzigsten Lebensjahr. Ab neunundfünfzig im Westen und zweiundfünfzig im Osten wird Deutschland weitgehend von Frauen dominiert, mit Ausnahme von fünf Landkreisen, in denen die Männer auch dann noch in der Überzahl bleiben: Cloppenburg und Plön im Norden, Freising, Erding und Landsberg am Lech im Süden – das sind die deutschen Männer-WGs, die aber wenig Trost bieten.

In den neuen Bundesländern, die so potent anfingen, verschwinden Männer schneller als Mücken im Winter. Allein mit der Auswanderung in den Westen, einer niedrigeren Lebenserwartung, Autounfällen und Geschlechtsumwandlungen lässt sich dieses Phänomen nicht erklären. Mein Freund, ein Sozialwissenschaftler, behauptete neulich, schuld daran sei die allgemeine Feminisierung der Gesellschaft, die zurzeit in allen industriell entwickelten Ländern grassiere. Die Männer in diesen Ländern wollen den Frauen alles nachmachen und verlieren dadurch ihre Männlichkeit. Frauen setzen in einer vom Konsum bestimmten Gesellschaft die Trends, weil sie einfach mehr Wünsche als Männer haben. Frauen wollen abnehmen, sie wollen Wellness, Yoga, Antistress-Massagen und Entspannungstherapien, und die Männer tun es ihnen nach. Doch was den einen gesund hält, ist des anderen Tod. Das wussten schon die alten Griechen. Männer sind keine Kaninchen, sie können sich nicht nur von Rucola ernähren und gleichzeitig Mann bleiben. Ein Mann braucht Stress, er braucht Herausforderungen, dann blüht er auf. Wenn er aber anfängt, linksgedrehte Joghurts zu essen, auf seine Figur zu achten und Termine beim Frisör langfristig zu vereinbaren, fällt er automatisch aus der Männerstatistik.

Frauen trinken zum Beispiel auch gerne Wasser. Dafür gibt es eine wissenschaftliche Erklärung aus den USA. Gemäß dieser postdarwinistischen Theorie haben sich die Menschen einst in zwei Gruppen geteilt, nachdem sie mangels Bäumen aufgehört hatten, Voll-Affen zu sein: Die Männchen hingen weiterhin im Wald herum und jagten

Großwild, die Weibchen aber gingen ins sichere Wasser, wo sie Muscheln und Kleinkrebse sammelten. Genau weiß man es noch immer nicht, was sie im Wasser trieben und wie lange sie darin lebten, doch als sie wieder ans Ufer kamen, sahen sie anders aus als die Männer: Ihre Körper hatten einen besonderen Schwung, ihre Haut war zart, glatt und blass geworden, die Formen wie vom Wasser geschliffen, und wenn man heute die wenigen Frauenhaare am Körper nässt, so sagt die Wissenschaft, kann man an ihnen noch immer die Wasserströmung von damals erkennen.

Deswegen verbreiten Frauen in der heutigen Welt den Kult des Wassers, und das mit großem Erfolg. Ständig sieht man junge und alte Frauen mit Wasserflaschen in der Hand durch unsere urbanen Landschaften laufen. Daraus hat sich in den letzen Jahren ein allgemeiner Trend entwickelt. Wasser ist in, Wasser ist sexy, und immer mehr Männer tun es den Frauen nach. Sogar bei uns in der Russendisko zieht der Türsteher jedem zweiten Pärchen am Eingang eine Wasserflasche aus der Tasche. Zuerst riecht er ungläubig daran, vermutet getarnten Alkohol oder noch schlimmer: gesetzwidrige Substanzen. Aber nein, in den Flaschen verbirgt sich nichts Verbotenes, immer nur Wasser, hundertprozentiges klares Wasser; die Droge der neuen femininen Generation. Damit heilt man heute jede Krankheit, damit kann man beinahe alle Nahrungsmittel ersetzen. Wasserhersteller werben mit schönen Frauen und Sprüchen wie »Volle Pulle Leben« oder »Finde dein mentales Gleichgewicht« und bringen immer mehr Männer dazu, Wasser zu trinken.

Deren Großväter hatten noch viel mit der Welt vor: Sie tranken Hochprozentiges, gerne schon am Vormittag, hatten dabei »volle Pulle Leben«, und kein Stress der Welt konnte ihnen irgendetwas anhaben, sie waren selbst der Stress! Gut, viele ihrer Vorhaben liefen schief oder verliefen sich im Sand. Ihre Pläne waren nicht richtig durchdacht oder scheiterten trotzdem. Daher war die nachfolgende Generation der Väter bereits vorsichtiger. Sie bevorzugte es, die Welt durchs Bierglas anzuschauen, ihr Lebensdurst war schon etwas dünner, ihre Taten nachvollziehbarer, sie lebten länger und bekamen Bäuche. Und heute ist die Zeit anscheinend noch dünner geworden: Alle trinken stilles Wasser und beschweren sich über die Hektik und den Stress des Alltags. Eine Flasche guter Whisky als Quelle für neue Energie und Lebensfreude kommt nicht mehr in Frage.

Das Streben, gesund und lange zu leben, ist niemals falsch. Und ich möchte den Frauen nicht vorwerfen, sie würden Männer mit ihrem Wasser auf eine schiefe Bahn bringen. Nein, sie meinen es gut mit uns, sie wollen, dass wir ruhiger werden. Doch Männer lösen sich in diesem stillen Wasser einfach auf! Deswegen bitte ich sie: Hört auf mit dem Quatsch. Trinkt kein Wasser! Das Zeug macht nicht mobil! Werdet lieber Piraten! Trinkt Rum oder Schnaps, bringt mehr Hektik in euer Leben! Stress gibt Farbe! Alles muss wieder hochprozentig werden! Und wenn man doch mal Wasser trinken will, dann nur zu feierlichen Anlässen und in ganz kleinen Gläsern.

Der achte Kreis

Deutschland hat viele Gesichter. Beinahe jedes Jahr schafft sich irgendein Deutschland ab und ein anderes entsteht. Das Leben fließt weiter, es ändert sich jeden Tag – zum Ärger der einen und zur Freude der anderen. Allein in meiner Wahlheimat Berlin, Prenzlauer Berg, habe ich in den letzten zwanzig Jahren jede Menge Veränderungen erlebt. Als ich hierherzog, waren die Kastanienbäume von der sogenannten »russischen Motte« befallen, die in Russland nebenbei gesagt als »amerikanische Motte« bekannt ist. Die Wohngegend wiederum war von freien Künstlern und Schauspielern befallen, die wie die Motten an den Kastanienbäumen und allen Kneipentischen klebten. Die Lebenskünstler aus dem Westen lösten die schwermütigen ostdeutschen Rentner in ihren Wohnungen mit Ofenheizung und Außentoilette ab. Später kamen die unrasierten norddeutschen Kneipenwirte, dann die geschäftstüchtigen Schwaben und die alten Kinder des Internets. Heute ist unsere Gegend durchmischt und undurchsichtig, aber es fällt auf, dass die meisten hier keine vernünftige Arbeit haben. Sie halten zusammen, helfen einander und kommen so über die Runden.

In der Fähigkeit zur Veränderung sehe ich den Unterschied zwischen einer offenen und einer totalitären Gesellschaft. Einmal sagte der deutsche Bundespräsident über die Demokratie, sie würde davon leben, dass alle Bürger ihre Regeln verstünden und verinnerlichten. In Wirklichkeit ist es eher umgekehrt. Eine Diktatur lebt davon, dass alle ihre Regeln kennen. Eine Demokratie dagegen zeichnet sich dadurch aus, dass niemand ihre Regeln versteht, auswendig kennt und den Ablauf des morgigen Tages, die Regeln von morgen voraussehen kann. Nein, diese Regeln werden in einem Prozess der demokratischen Erneuerung und Regelbildung ständig neu erfunden. Die große Kunst der Politik in einer solchen Gesellschaft besteht darin, die Interessen der unterschiedlichsten Gruppen, der unzähligen Minderheiten, zu berücksichtigen und sie alle unter einen Hut zu bringen.

Ein vernünftiger Staat muss ein solidarischer sein, er hat nur dann eine Existenzberechtigung, wenn ihm alle Bürger gleich viel wert sind, ganz egal wie viel Geld sie in die Staatskasse bringen. Der Maßstab der Politik in einer Gesellschaft, die sich demokratisch und christlich nennt, muss nicht der Kontostand der Staatsbank, nicht der Schutz der Interessen besonders großer Unternehmen sein, sondern der einzelne Mensch. Dieser Mensch muss genauso viel wert sein wie das ganze Land. Ein vernünftiger, solidarischer Staat würde seine Bürger niemals im Stich lassen, wenn sie in der Wüste des Auslandes verlorengehen, in den Bergen verschollen sind oder von Piraten gekidnappt wurden. Ein vernünftiger Staat wird seine Bürger retten, ganz egal wer diese Bürger sind, ob Banker oder Rentner, ja sogar den Arbeitslosen würde er zu retten versuchen. Ein solcher Staat bekommt Ansehen in der Welt, er ist lebendig wie ein menschlicher Organismus, er hat ein Herz und eine Seele.

In Deutschland wird leider in der letzten Zeit immer öfter die Politik der zwei Herzen betrieben. »Wenn wir ein Herz für die Leistungsschwachen haben wollen, müssen wir auch ein Herz für die Leistungsstarken zeigen«, sagt die Bundeskanzlerin und spaltet damit die Gesellschaft. Ihr folgend versuchte ein streberhafter Vorstand der Bundesbank, die Menschen in gut und überflüssig zu teilen. Nur die, die Leistung bringen, verdienen Respekt, lautet seine Botschaft. Dabei ist Leistung keine menschliche Eigenschaft, es ist vielmehr ein Wort aus der Welt der Technik. Computer und Autos haben eine Leistung, von Krankenversicherungsvertretern werden bestimmte Leistungen angeboten – oder noch öfter gestrichen. Aber ein Mensch ist mehr als ein Dienstleister, er blüht auf, wenn er nicht aus Leistungsdruck, sondern aus Leidenschaft handelt. Für den aber, der das Leben als Kosten-Nutzen-Rechnung versteht, hört sich Leidenschaft unwirtschaftlich an. Sein Traum ist eine Gesellschaft, die sich von nutzlosen Menschen befreit hat, von all den Leistungsschwachen, die keinen vernünftigen Mehrwert schaffen, sich dazu noch komisch kleiden und schlechtes Deutsch sprechen.

Die Entsorgung der nicht brauchbaren Bürger ist zu einer chronischen politischen Debatte geworden. Mal geht es um die Erhöhung des Rentenalters, ein andermal um die faulen Arbeitslosen oder die gescheiterte Integration jener Menschen, die einst zum Arbeiten nach Deutschland geholt worden waren, um die Arbeit zu erledigen, die kein Deutscher machen wollte. Aus Sicht eines Buchhalters wäre es von Nutzen, diese Menschen loszuwerden und etliche andere dazu, die schwächeln. Dann wäre Deutschland ein Land der Starken und Klugen. Zum Arbeiten kann man ja immer noch andere Dumme aus dem Ausland holen und, wenn die Zeit reif ist, nach einem Gentest wieder rausmobben.

Es wurden nicht nur in Deutschland immer wieder Versuche unternommen, die Schwachen von den Starken zu trennen, die Richtigen von den Falschen, die Guten von den Bösen. Doch alle diese Versuche scheiterten. Immer gingen mit den Schwachen auch die Starken drauf. Ein Rätsel. Anscheinend sind die Schwachen und die Starken auf verhängnisvolle Weise voneinander abhängig. Kaum werden die Schwachen beseitigt, fangen schon die ersten Starken an zu schwächeln und neue Schwache aus ihren Reihen auszustoßen. Es gibt für niemanden eine individuelle Rettung auf diesem Planeten, selbst für den Vorstand der Bundesbank nicht. Entweder alle oder keiner. Bis ans Ende aller Tage werden die Schwachen und die Starken aneinandergekettet weitergehen. Trotzdem haben die Spalter und falschen Ratgeber oft großen Erfolg. Dafür landen sie bei Dante im achten Kreis der Hölle mitsamt allen Fälschern und Verrätern. Es soll dort die ganze Zeit sehr düster und kalt sein, sie frieren im Eis, und keiner reicht dem anderen die Hand.

Villingen liest Schwenningen vor

Der Bahnhof sah unbewohnt aus, nur zwei Güterzüge standen auf den Gleisen, in einem lag Holz, der andere war leer. Es war also amtlich, ich hatte den falschen Bahnhof erwischt.

»Wie weit ist noch mal der Bahnhof von der Hoteltür aus gesehen?«, hatte ich an der Rezeption des Hotels gefragt – gleich dreimal hintereinander, zur Sicherheit.

»Zweihundert Meter nach rechts«, lautete die Antwort.

Ich hatte mir eine gute Verbindung im Internet ausgesucht, aber das nutzte mir nichts. Ich konnte Villingen-Schwenningen nicht verlassen, denn die Reiseverbindung, die ich im Internet ausgesucht hatte, ging vom Bahnhof Schwenningen, das Hotel befand sich aber neben dem Bahnhof Villingen. Oder umgekehrt. Mir sind diese Ortsteile sowieso ständig durcheinandergegangen. Dabei hatte die Reise so gut angefangen. Im Rahmen eines anspruchsvollen Programms »Villingen liest Schwenningen vor« (oder so ähnlich) landete ich in dieser wunderbar übersichtlichen Stadt, die so selbstverständlich zwischen Feldern und Wäldern liegt, als hätte sie der liebe Gott höchstpersönlich erschaffen, mit allem, was dazugehört: einem

Inder, zwei Chinesen, einer Aldi-Filiale, dem Café *Wau* und der Schwimmhalle »Neckarbad«.

Nach der Lesung geriet ich allerdings beim Essen mit dem Leiter des Kulturamtes aneinander bei der Frage, ob es einen deutschen Rotwein mit »Eiern« gab. Eine Karaffe jagte die nächste. Das Kulturamt pries die badischen Weinerzeugnisse, ich zweifelte an deren Qualität. Und natürlich konnten wir nicht schlafen gehen, bevor diese Frage nicht endgültig geklärt war. Also pendelten wir zwischen Villingen und Schwenningen und kosteten mal hier und mal da. In dem einen Restaurant waren die Kellner zwar patriotisch gestimmt, aber der Wein, den sie servierten, war deutlich nicht maskulin genug, zu dünn und unpersönlich. In dem anderen Restaurant waren die Weine zwar anspruchsvoll, aber die italienische Bedienung stellte sich sofort auf meine Seite und meinte, die Deutschen sollten sich lieber auf Weißweine konzentrieren, statt mit ihren Roten die Welt zum Lachen zu bringen. Unsere letzte Station war ein Weinkeller, der Geheimtipp des Kulturamtsleiters. Der Chef des Ladens, ein Weinwissenschaftler, sollte über unsere Wette entscheiden. Er grübelte ein wenig, stieg sehr tief in seinen Weinkeller und holte einen deutschen Wein, den ich nicht kannte, herauf.

»Ihr müsst ihn nicht austrinken, wenn er euch nicht gefällt. Das mache ich dann selber«, sagte der Weinwissenschaftler, während er die Flasche entkorkte.

Der Wein, ich gebe es zu, hatte »Eier«.

»Es geht momentan nicht um die Sonne«, klärte uns der Weinwissenschaftler auf, »es geht nicht einmal um das Alter der Rebe oder handwerkliches Können. Es geht allein um die Gier der Winzer, wie viele Trauben sie wachsen lassen und wie viele sie wegschneiden. Je weniger Trauben auf einer Rebe reifen, desto dicker, geschmackvoller und teurer wird der Wein.« An dieser Stelle unterbrach er seinen Monolog, stieg noch ein Stück tiefer in den Keller und holte einen galanten maskulinen Franzosen nach oben. »Hier nur ein Beispiel. Ihr müsst ihn nicht austrinken, das mache ich dann schon«, murmelte er. Sein Beispiel war eine Bombe. Aber das nächste Beispiel, ein alter Portugiese, war dermaßen beispielhaft, dass wir vergaßen, in welcher Angelegenheit wir überhaupt hierhergekommen waren. »Ihr müsst ihn nicht austrinken«, sagte der Weinkellerchef jedes Mal zu uns, aber wir hörten ihm nicht zu.

»Und wie kommt es, dass ein Russe sich mit Weinkultur befasst?«, fragten mich die beiden. »Ein Russe muss doch Wodka trinken.«

Ich nickte. Es stimmte schon, die Mehrheit meiner Landsleute bevorzugte starke Getränke, die nicht genossen, sondern gekippt werden mussten. Deswegen fiel es mir schwer, einen Wein auf Russisch zu beschreiben. Das notwendige Vokabular dazu fand sich oft nicht. Gerade vor Kurzem überlegte ich, wie man zum Beispiel »leicht im Abgang« ins Russische übersetzen könnte. Ich rief sogar einige Sprachkenner an, doch trotz intensiven Nachdenkens ist uns nichts dazu eingefallen. Man kann so etwas anscheinend auf Russisch nicht sagen, weil in Russland eben nichts leicht im Abgang ist. Die Flüssigkeiten, die man dort zu sich nimmt, sind in der Regel hart im Eingang und schnell im Ausgang, verzeihen Sie die platte Formulierung. Man muss sich anstrengen, um diese Flüssigkeiten im Magen zu behalten. Merkwürdigerweise finden auch viele Deutsche das Wodkatrinken romantisch.

»Ich habe das letzte Mal in Tula eine Wodkaflasche in Form einer Kalaschnikow bekommen. Eine Hammerflasche! Ich wollte sie unbedingt nach Villingen-Schwenningen bringen, aber sie ist mir am Flughafen bei der Passkontrolle zerplatzt«, erzählte der Kulturamtsleiter.

»Was haben Sie in Tula gemacht?«, wunderte ich mich und erfuhr, dass Villingen-Schwenningen und Tula Partnerstädte sind. Sie unterstützen einander nach Kräften. Die Deutschen haben zum Beispiel in Tula eine Sparkasse mitgegründet, um den Russen beizubringen, wie man richtig mit Geld umgeht. Sie haben ein Orchester zum Jahrestag des Kriegsendes dort spielen lassen und eine gemeinsame Ausstellung von deutschen und russischen Kunststudenten organisiert, die allerdings wegen allzu frivoler Inhalte in Tula der Öffentlichkeit nicht zugänglich gemacht wurde. Jedes Mal, wenn die Stadtväter von Tula nach Villingen-Schwenningen fahren, bringen sie als Geschenk einen Tula-Prjanik mit, einen Riesenlebkuchen, für den die Stadt Tula berühmt ist. Früher konnte eine ganze Familie mit einem einzigen Lebkuchen gut über den Winter kommen, heute beanspruchen die Lebkuchen die Hälfte der Räume des Kulturamtes Villingen-Schwenningen.

Wenn die Deutschen nach Tula fahren, wollen auch sie

nicht mit leeren Händen kommen. Sie bringen immer eine Kleinigkeit zum Naschen mit, und das letzte Mal wurde dem Bürgermeister von Tula feierlich ein Karton mit Schwarzwaldschinken überreicht. Der Bürgermeister von Tula bedankte sich, öffnete die Packung und schob jedem seiner Stellvertreter und Mitarbeiter eine Scheibe Schinken in den Mund. Danach holte er die Kalaschnikow-Flasche unter dem Tisch hervor und füllte jedem ein Glas mit dem Zeug, das hart im Abgang ist, oder, wie die Russen sagen, hart, aber fair.

Deutsche Botschaft

In meinem Bekanntenkreis haben viele eine kritische Haltung gegenüber Deutschland. Man hört kaum mal ein gutes Wort über die landestypischen Sitten und Gebräuche. Wie jede wohlhabende Gesellschaft ist Deutschland sehr ängstlich. Überall sieht man Überwachungskameras, Terroristenfahndungsplakate und Verbotsschilder. Jede Gurke wird eingezäunt, registriert und sieht auch noch wie eine Handgranate aus. Besonders groß ist die Angst vor Fremden. Man vermutet hierzulande sofort, dass sie den Deutschen ihre letzten Arbeitsplätze klauen, ihnen die Löhne versauen und was weiß ich welche Schätze wegnehmen.

Wenn deutsche Bürger im nicht so wohlhabenden Ausland heiraten wollen, müssen sie ihrem Staat erst einmal ausführlich Rede und Antwort stehen: Warum sie einen ihrer eigenen Landsleute verschmähen, sich auf dem internationalen Parkett blamieren wollen und fremdheiraten gehen. Sehr oft sträubt sich der Staat gegen diese Absicht und versucht, seine Bürger zur Vernunft und von einer Hochzeit im Ausland abzubringen. Ein guter Freund von mir versucht seit weit über einem Jahr, seine weißrussische Freundin zu heiraten. Die deutsche Botschaft in Minsk hat eigentlich nichts dagegen, sie will nur, dass der Vorgang ordentlich abgewickelt wird. Zuerst musste er die deutsche Botschaft in Minsk über die Reinheit seiner Gefühle aufklären und von der Ernsthaftigkeit seines Vorhabens überzeugen. Es wurde neben den üblichen Papieren ein Video verlangt, auf dem er mit seiner Liebsten im Arm zu sehen ist, außerdem eine Kopie seiner Telefonrechnungen der letzten sechs Monate, um die häufigen Ferngespräche mit der Frau seines Herzens nachzuweisen, sowie gemeinsame Fotos und Briefe mit Liebeserklärungen. Mein Freund erfüllte gewissenhaft jeden Wunsch der deutschen Botschaft in Minsk, aber die Sache mit der Heirat kam trotzdem nicht voran. Die Braut bekam einfach kein Visum. Die Botschaft wartete ab. Sie wollte prüfen, ob bei meinem Freund vielleicht nach einer gewissen Zeit die Lust am Heiraten auf natürliche Weise erlöschen würde. Nach einem Jahr hatte er noch immer die gleiche Absicht, eine Hartnäckigkeit, die eigentlich einen besseren Zweck verdient hätte. Die Botschaft forderte einen frischen schriftlichen Liebesnachweis, der letzte war inzwischen immerhin ein Jahr alt. War der Bittsteller wirklich noch immer verliebt, oder blieb er nur noch aus Trotz bei seiner Absicht?, wollte die deutsche Botschaft in Minsk wissen. Vielleicht wollte die Frau nicht mehr, vielleicht hatte sie oder er jemand anderen kennengelernt, vielleicht wollten beide statt nach Deutschland nach Weißrussland ziehen, vielleicht, vielleicht.

Mein Freund schrieb fünf Seiten mit der ganzen leidenschaftlichen Geschichte seiner Beziehung voll. Doch diese Liebesbegründung wurde abgelehnt. Die deutsche Botschaft ist nicht dumm und in Liebesangelegenheiten mehr als erfahren. Sie wusste, dass man Liebeserklärungen nicht auf dem Computer tippte. Herzensangelegenheiten schrieb man per Hand, so war es seit Anbeginn der Zeiten quasi Gesetz. Sonst könnte sich ja jeder seine Liebeserklärung aus dem Internet herunterladen, Tolstoi und Maupassant zusammenmischen oder aus irgendwelchen anrüchigen erotischen Romanen besonders markante Abschnitte herauskopieren, daraus einen unwiderstehlichen Liebesbrief basteln und damit seiner Geliebten und der deutschen Botschaft in Minsk literarisch ins Herz bzw. ins Knie schießen. Ich weiß nicht, wie die weißrussische Frau auf diesen computergetippten Brief reagierte, ich bezweifle, dass sie ihn überhaupt gelesen hat. Aber die deutsche Botschaft in Minsk ließ sich, wie gesagt, nicht täuschen. Sie wusste gleich, echte Liebe drückt sich handgeschrieben aus.

Als ich diese Geschichte hörte, dachte ich, was für ein Glück eigentlich, wenn man gleich am Anfang seines Familienlebens jemanden wie die deutsche Botschaft in Minsk hatte. Sie handelte gewissenhafter als jede Schwiegermutter, sie war jemand, der keine voreiligen Entscheidungen traf, der immer an die Zukunft dachte, der wusste, dass in einer Beziehung alles von vornherein zusammenpassen musste, damit sie ordentlich ablief und vor allem von Dauer war. Und wer konnte sich besser um deutsche Beziehungen kümmern als die deutsche Botschaft – die Botschaft eines Landes, das schon immer und weltweit für seine Ordnung berühmt war und ist? Um konsequent zu sein, müsste man alle deutschen Standesämter durch deutsche Botschaften in Minsk ersetzen.

Die Organe

Links von uns in der Wohnung des Nachbarn schreit das Baby. Es schreit seit einem Jahr, genau genommen seit es geboren wurde. Früher dachte ich, dem Kind würde etwas Wichtiges zum Leben fehlen. Doch inzwischen wissen wir, ihm fehlt nichts, es will bloß schreien. Meine Frau meinte einmal, dieses Kind sei schlecht gelaunt, weil es sich in einem falschen Körper fühle – ein Junge, der als Mädchen auf die Welt kam. Deswegen weine es so bitterlich. So können einem bestimmte Organe das Leben vermiesen.

Mein Sohn muss sich in »Nawi«, »Naturwissenschaft« auf Hochdeutsch, gerade mit der Konstruktion des Körpers befassen. Sebastian hat die Konstruktion der Geschlechtsorgane als Hausaufgabe fürs Wochenende bekommen. Er lernt laut und auswendig. Inzwischen findet keiner in der Familie diese verfluchten Organe mehr lustig, sie kommen uns samt ihrer ganzen Konstruktion zu den Ohren heraus. Letzte Woche ging alles damit los, dass die Schüler die Organe auf ein Blatt Papier zeichnen sollten.

»Mach das nicht, Junge«, bat ich meinen Sohn am Telefon, »warte auf mich! Ich helfe dir gerne!«

Ich mag die bescheuerten Hausaufgaben meiner Kinder nämlich, so etwas gab es an unserer sowjetischen Schule nicht. Wir hatten keine Naturwissenschaft, deswegen versuche ich nun mit Hilfe des Unterrichts meiner Kinder meine Wissenslücken zu schließen. Doch Sebastian hat nicht auf mich gewartet und alle Organe mit seiner Mama gemalt. Nun muss deren Konstruktion gelernt werden, und die ist kompliziert und unübersichtlich. Laut dem Lehrbuch meines Sohnes gibt es allein bei den Männern vier unterschiedliche Arten von Hoden und einen Sack, einen Hodensack, in dem alle Schätze gelagert werden. Das alles beim Frühstück laut vorzulesen, verdirbt den anderen Familienmitgliedern den Appetit. Allen, außer Onkel Georgij, dem Bruder meiner Schwiegermutter, der zum ersten Mal bei uns zu Gast ist. Er versteht kein Deutsch, insofern geht ihm die naturwissenschaftliche Sache an allen Organen vorbei.

Es hat mich viel Überzeugungskraft gekostet, den Onkel zur Reise nach Deutschland zu bewegen. Die ältere Generation reist ungern. Was habe ich in einem fremden Land verloren?, fragt sie sich, wer bleibt im Laden, und was schenke ich dem Gastgeber, von Herz zu Herz? Es ist nicht leicht, mit guten Geschenken nach Deutschland zu reisen, denn man darf weder Alkoholisches noch Fettes einführen, d.h. man darf schon, aber in mikroskopischen Dosen, ich glaube, ein Liter pro Herz. Der Onkel hat seine Geschenke auf zwei Flaschen reduziert. In der einen Flasche war neunzigprozentiger Spiritus vermischt mit Propolis, einem klebrigen Heilstoff, den der Onkel von seinem

Nachbarn, einem Imker, bekommt. Die Heilwirkung von Propolis ist unbestritten. Es steigert die Widerstandskräfte des Organismus, und alle Krankheiten lösen sich sofort auf. Ich glaube allerdings, das liegt eher am Spiritus. Vor dem Trinken wird das Getränk mit Wasser verdünnt und bekommt dadurch eine blaumilchige Farbe. Die Zunge wird ebenfalls blau, und man fühlt sich plötzlich den Bienen sehr nahe. Gleich nach den ersten hundert Millilitern hätte ich zu summen anfangen können. Die zweite Flasche des Onkels war ein Fünf-Sterne-Cognac aus Dagestan, ein wunderbares Getränk mit Nachwirkung.

Der Onkel war von Beruf Bauingenieur. Als solcher verglich er ständig deutsche mit russischen Landschaften. In Russland versuchten die meisten, so weit wie möglich vom Nachbarn entfernt zu bauen und die Zäune möglichst hoch zu ziehen, damit ihnen niemand auf den Hof schaute. Hier waren die Zäune niedrig, die Häuser eng aneinandergereiht, die Fenster selbst im Erdgeschoss groß, manchmal ohne Gitter und oft sogar ohne Gardinen. Man sah, wie die Bürger vom Licht der Fernsehbildschirme erhellt wurden. Diese Art von Zusammenleben hat dem Onkel, denke ich, gut gefallen. Dafür lachte er über die deutsche Sauna, das betretene Schweigen der Saunabesucher, den Ernst der Gesichter. Alle schwitzten so steif und traurig, als wäre gerade jemand gestorben. Besonders hat sich der Onkel über den Ruheraum aufgeregt. Es ging ihm nicht in den Kopf, dass Menschen in die Sauna gingen, um Ruhe zu suchen. Für den Onkel war die Sauna ein Ort des Feierns und der Geselligkeit. Es musste dort heiß, laut und lustig sein, das Bier sollte fließen, und Witze sollten erzählt werden. Und wenn schon Schnee draußen lag, dann musste man gleich anschließend in den Schneehaufen springen, anstatt sich eine Handvoll Schnee so vorsichtig auf die Brust zu reiben, als wäre es Antifaltencreme.

»Aber die deutsche Sauna hat auch ihre guten Seiten, dort kann man zum Beispiel unbekannte nackte Frauen anschauen, ohne sie gleich heiraten zu müssen«, urteilte der Onkel philosophisch. Ich schwieg höflich, statt ihn darüber aufzuklären, dass die Deutschen schon in der Schule mit Geschlechtsorganen dermaßen gequält werden, dass sie sich, wenn sie einmal erwachsen sind, gar nicht mehr für sie interessieren. Sie schauen niemals hin.

Gott muss Fußballer lieben

In meiner sowjetischen Schule habe ich meine Hausaufgaben immer in der Pause zwischen den Lehrstunden gemacht, wobei ich kein besonders begabter Schüler war. Die besonders begabten Schüler erledigten bei uns die Hausaufgaben direkt im Unterricht, noch während die Lehrerinnen sie diktierten. Mit gutem Gewissen gingen wir nach der letzten Stunde gleich auf den Hof Fußball spielen. Wir spielten ohne Zeitlimit, ohne Tore und manchmal sogar ohne Ball, alle rannten allen hinterher. Die unfertigen Hausaufgaben nach Hause zu schleppen, galt als schlechter Stil.

Das deutsche Gymnasium meiner Kinder schafft es aber locker, nicht nur die Kinder selbst, sondern auch deren Eltern, deren Großeltern und das ganze Internet täglich mit Hausaufgaben zu füttern. Noch anspruchsvoller ist angeblich der Unterricht selbst, zu dem wir Gott sei Dank nicht hin müssen. Die Fremdsprachenlehrer im Gymnasium, berichten meine Kinder, sprechen nur Fremdsprachen, auch wenn sie keiner versteht. Die Mathelehrerin ist Professorin, sie versteht sich nicht einmal selbst. Die Kunstlehrerin war früher nach eigener Auskunft eine sehr erfolgreiche Kunsttherapeutin in einer Irrenanstalt. Die Schüler durften sich bei ihr gegenseitig bemalen, damit sie sich mit den Augen eines anderen sahen. Die Kunstlehrerin betreibt außerdem Kommunikationstraining. Sie sagt, dass in jedem Menschen zwei weitere Ichs stecken, die ihm ständig ins Wort fallen. Du, wie du dich selbst siehst; du, wie dich die anderen sehen, und du, wie du wirklich bist. Nun sind die Kinder schwer beschäftigt, ihre drei Ichs auseinanderzuhalten.

Aber am anspruchsvollsten ist natürlich der Sportunterricht. Deutschland ist sowieso ein Land der Fitness, hier werden schon im Kindergarten olympische Disziplinen trainiert. Anders als im antiken Griechenland, wo die olympischen Sieger mit einer lebenslangen Rente ausgezeichnet wurden und für den Rest ihres Lebens auch keinen Sport mehr treiben mussten, kann man in Deutschland beim Sportunterricht höchstens eine Invalidenrente gewinnen, wenn man vom Brett fällt oder wie mein Sohn neulich beim Hürdenlauf voll auf die Nase knallt. Meine Tochter ist beim Kugelstoßen beinahe selbst weggeflogen, die Kugel blieb liegen. Wozu, bitte schön, müssen Kinder Kugelstoßen können? Warum dürfen sie nicht ohne Hürden laufen? Diese Fragen bleiben ohne Antwort. Mit einem beinahe religiösen Eifer begeben sich die Menschen hierzulande in Sportstudios und Fitnessclubs. Sportlich sein ist in Deutschland die Voraussetzung jeden Erfolges. Sport ist Medizin gegen alle Krankheiten, die Lösung für alle Probleme.

Gott liebt Sportler. Das habe ich zufällig erfahren, als

ich einmal im Westerwald in einem sogenannten Sporthotel übernachtete. Ich konnte dort lange nicht einschlafen. In der Minibar meines Zimmers standen nur energiespendende Getränke. An den Wänden hingen Fotos von fröhlich schwitzenden Männern und Frauen, die gerade hervorragende Sportleistungen erbracht hatten. Eine Mappe mit detaillierter Beschreibung aller Joggingrouten rund um das Hotel lag auf dem Tisch. Wenn man fünf Minuten in dem Sportzimmer gelegen hatte, wollte man nichts als raus und so schnell wie möglich fünf Runden um das Hotel laufen. Ich konnte mich mit letzter Kraft noch bremsen und holte stattdessen die Bibel aus dem Nachtschrank. Es war eine spezielle Ausgabe: »Mit vollem Einsatz ins neue Testament« hieß sie und war mit neuen, mir unbekannten Texten angereichert: mit Berichten internationaler Spitzensportler darüber, wie wichtig ihnen ihr Glaube war. Das Testament kannte ich mehr oder weniger, deswegen konzentrierte ich mich auf die neuen Berichte. Man bekam darin vermittelt, dass Gott Sportler liebte und sie es ihm in gleicher Münze zurückzahlten.

»Alles, was ich kann, habe ich Gott zu verdanken. Und ich kann nur Fußball«, sagt da z.B. ein Fußballspieler. »Das heißt, Gott muss Fußball lieben«, schlussfolgert er. Ein Synchronschwimmer erzählte, dass er sich im Wasser wie im Himmel fühlte, und ein Basketballspieler meinte, er hätte von Jesus gelernt, Niederlagen wegzustecken und mit seinen Nächsten respektvoll umzugehen: »Früher hasste ich meine Mitspieler, ich fand sie allesamt arrogant, eingebildet, blöd. Doch bei Jesus lernte ich, meinen Nächsten zu lieben. Seitdem geht es mit mir und der Mannschaft aufwärts.«

Es scheint, dass Gott Mannschaftsspiele ganz besonders liebt. Er will wahrscheinlich, dass wir wie auf dem Fußballfeld meiner Kindheit hintereinander herrennen, notfalls ohne Ball, ohne Pause und ohne Tore.

Kaputter Koch auf Arbeitssuche

Die Deutschen waren nie Nomaden. Es zog sie zwar manchmal in die Ferne, sie träumten zum Beispiel davon, einmal um die Welt zu segeln auf der Suche nach einem besseren Leben, aber für gewöhnlich hielten sie durch und blieben zu Hause. Während Spanier, Engländer und Franzosen ständig ins Ungewisse steuerten, bevorzugten die Deutschen die heimischen Wälder. Tief in ihrem Herzen wussten sie, dass es da draußen in der weiten Welt nichts geben konnte, worauf sie zu Hause nicht guten Gewissens verzichten konnten. Und sowieso lebte es sich in der Heimat wohler. Man konnte hier gut über die Fremden schimpfen, die Ausländer für jeden Schicksalsstreich verantwortlich machen und sich selbst bemitleiden. Draußen in der Fremde konnte man niemanden beschuldigen. Egal was passierte, man war selbst an allem schuld. Insofern wundert es nicht, dass die Deutschen sich auf Dauer für die Sesshaftigkeit entschieden.

Doch nicht alle Deutschen teilten diese Lebenseinstellung, es gab auch ein paar Reiselustige unter ihnen. Zumindest einen gab es sicher. Er reiste unermüdlich um die Welt und sprach mit den Einheimischen überall auf

Deutsch, in der festen Überzeugung, jeder würde ihn verstehen. Die Spuren seiner Reisen lassen sich in den entferntesten Ecken der Welt finden, in Gestalt deutscher Wörter, die, einmal ausgesprochen, den Einheimischen so gut gefielen, dass sie diese Begriffe oder sogar ganze Sätze in ihre Sprachen übernahmen. Wer genau dieser mutige Deutsche war, weiß man nicht. Das Institut für Deutsche Sprache hat seine Wortspuren verfolgt, und die deutschen Wörter, die er überall verstreute, gesammelt, markiert, gewaschen, gebügelt und katalogisiert. Nach dem Wortschatz des Reisenden zu urteilen, war der Mann höchstwahrscheinlich ein arbeitsloser Koch auf der Suche nach einer neuen Anstellung. Die meisten Wörter, die er den Fremden überließ, waren nämlich gastronomische Begriffe.

Den Russen schmierte er beispielsweise ein »Butterbrot«. Die Russen, die bis dahin nur Pelmenis gekannt hatten, wunderten sich, wieso sie nicht selbst darauf gekommen waren. Schnell wurde das Butterbrot zu ihrem Lieblingsessen. Nach »Mama« und »Papa« ist »Butterbrot« das dritte Wort, das jedes Kind in Russland lernt. Allerdings ist dem russischen Butterbrot im Laufe der Zeit die Butter vom Brot abhandengekommen und in irgendein dunkles Zeitloch reingerutscht. Heute schmieren die Russen alles Mögliche auf ihre Butterbrote, nur keine Butter.

Den Engländern hat unser Koch »Sauerkraut« serviert, den Japanern »Kirschwassertorte«. Den Spaniern hat er von »Fernweh« erzählt. Dieses Gefühl kannten die Spanier zwar bereits, sie hatten aber nicht gewusst, dass es Fernweh heißt. Seit der Koch es ihnen erzählte, nennen die Spanier ihr Fernweh »Fernweh«. In der westafrikanischen Sprache Wolof hat sich der Begriff »lecker« angesiedelt. Ich wette, das war unser Koch. Auf der Suche nach neuen kulinarischen Erlebnissen probierte er in Westafrika eine Kokosnuss oder eine Banane und sagte »lecker« dazu. Die Westafrikaner wussten natürlich schon vorher, dass ihre Früchte gut schmeckten, nur hatten sie das passende Wort dafür nicht parat. »Lecker, lecker, lecker!«, riefen sie dem Koch zurück und waren ihm sicher für dieses tolle Wort dankbar.

Der Koch fuhr weiter, und überall fragte er um Arbeit nach. Deswegen trifft man am häufigsten und in so vielen Sprachen auf das deutsche Wort »Arbeit« – etwas verzerrt, aber trotzdem noch erkennbar. Die Russen sagen »Rabota«, die Indianer in Costa Rica »Arebait«, und im Japanischen und Koreanischen steht »Arubiato« für Teilzeitarbeit.

Doch unser Koch wurde anscheinend nirgends genommen. Mit der Zeit wurde er alt und krank, litt unter Einsamkeit und beschwerte sich darüber. Auf Suaheli heißen alte und kranke Menschen noch heute »kaputti«. Der Koch kam zurück nach Europa, redete mit den Engländern über »Weltschmerz«, und einem Franzosen erzählte er, er würde am liebsten zu Hause im deutschen Wald sterben. Seitdem haben die Franzosen das Wort »le Waldsterben« in ihrer Sprache. Demselben Franzosen zeigte der Koch das kleine Oberlicht in einem Guckfenster und meinte, dass jeder Mensch ein Zuhause brauche, eines, wo jemand auf ihn warte und das kleine Licht im Guckfenster anmache, damit der Mensch sich in der Dunkelheit nicht verirre, damit er wisse, wo die Tür sei. Der Franzose verstand ihn nicht ganz, war aber von seiner Rede beeindruckt. Seitdem heißt das Oberlicht im Klappfenster auf Französisch »la vasistas«.

Die Rostocker Weißrussen

In diesem Herbst war ich viel in Ostdeutschland unterwegs: Gera, Erfurt, Wismar, Schwerin ... Seit gut zwei Jahren hatte ich diese Städte nicht besucht, denn die meisten Einladungen zu Lesungen kommen aus dem Westen, obwohl die Themen meines Schreibens eher ostig gelagert sind. Vielleicht ist genau das der Grund, warum mich die westlichen Kulturhäuser öfter einladen. Für sie gehören meine Ausführungen über Osteuropa in die Sparte *Verstehen Sie Spaß*: Sie lachen sich kaputt, wenn ich über das Leben in der Sowjetunion oder in einer Ostberliner Kleingartenkolonie berichte. Im Osten dagegen schauen die Zuhörer ernst und nicken die ganze Zeit, wie bei einem Gebet – als würden sie in diesem aufgeschriebenen Leben ihr eigenes erkennen. Wenn ich ihnen aber über meine Reisen durch den Westen vorlese, schmeißen sie sich vor Lachen weg. Ich verstehe: Wer will schon über sich selbst lachen?

Zwei Jahre sammelte ich Geschichten aus dem Westen, damit meine Leser im Osten etwas zu lachen hatten. In dieser Zeit wurden die ostdeutschen Städte noch frischgestrichener, noch sauberer und noch menschenleerer.

Selbst die Tauben mieden die Rathausplätze, sie wussten, dass dort keine Essensreste, kein Müll, nicht einmal eine Zigarettenkippe zu finden war. Auf den Straßen hörte man kein Kindergeschrei und keine Lieder. Es gab zwei Sorten von Touristen in diesem Disneyland ohne Mickeymaus: die Omas aus Westdeutschland und die Japaner. Beide gingen früh schlafen, und kaum war die letzte Oma im Bett, durchdrang ein geheimes Signal die Städte, die Bürgersteige wurden hochgeklappt, und die Lichter gingen aus: gute Nacht, Ostdeutschland. In den großen, noch im Sozialismus gebauten Mehrfamilienhäusern leuchteten zwei, drei Fenster, die anderen hundert waren dunkel, aber mit Vorhängen dekoriert, wahrscheinlich, um den Leerstand zu kaschieren. Die Töpfe mit Geranien auf den Fensterbrettern der leeren Wohnungen sollten vermitteln, wir sind schon da, wir gehen bloß gerne wie gewohnt früh schlafen! Doch das konnte ich nicht glauben, dass die ganze Stadt sich hinlegte, noch bevor der Film um 20.15 Uhr zu Ende war. Mit Einbruch der Dunkelheit verlor diese Landschaft ihre vorgegaukelte Gemütlichkeit und wurde zu einer Zombiestadt.

In Erfurt lief ich am frühen Abend gut zwei Stunden durch die Straßen und traf nirgendwo eine Menschenseele. Im Kaufhaus gingen die automatischen Türen auf und zu, obwohl niemand herein- oder herauskam, die Rolltreppen leuchteten und rollten ohne Benutzer, der Wasserfall in der Mitte blubberte, und der Parkplatz war voller Autos, nur ihre Fahrer waren verschwunden, wie weggeleckt. Im großen Multiplexkino liefen in den leeren Sälen zehn unterschiedliche Filme, und im Korridor hörte man den überfüllten Popcornautomaten vor sich hin knurren.

In der Pension, in der man mich untergebracht hatte, war ebenfalls keine Menschenseele zu sehen. »Bei der Abreise legen Sie den Schlüssel bitte auf den Nachttisch, und lassen Sie die Tür offen« stand auf einem Zettel, den ich neben dem Bett fand. Alles wirkte unheimlich, nicht nur die dunklen Fenster, auch die Läden in den Erdgeschossen: eine Bäckerei, ein Friseursalon, noch ein Friseursalon und noch einer... Drei Friseursalons nebeneinander? Wie konnte das sein? Da stimmte etwas nicht! Eine Armee unheimlicher Friseure hatte die ostdeutschen Städte unter ihre Kontrolle gebracht und den Menschen die Haare wegrasiert. Die Ostdeutschen wurden von den Friseuren unter enormen Druck gesetzt. Die mit allzu raschem Haarwuchs mussten auswandern, nur die Glatzen, die sowieso nichts zu verlieren hatten, blieben. Tagsüber sah man hier in der Tat viele Glatzen, bei den Älteren durch angestrengtes Nachdenken hervorgerufen, bei den Jüngeren durch die Berichterstattung im Fernsehen. Wenn einem jahrelang und auf allen Kanälen eingebläut wird, wie ein Ostdeutscher auszusehen hat, nämlich mit Stiefeln, Glatze und Kampfhund, dann darf man sich nicht wundern, wenn solche Outfits sich in der Realität durchsetzen. Das Fernsehen bestimmt das Sein. Aber nach 21.00 Uhr hatten hier sogar die Hooligans Feierabend.

Die ganze Zeit hatte ich auf dieser Reise das Gefühl,

hinters Licht geführt zu werden. Ich glaube nicht an die Gemütlichkeit der ostdeutschen Städte. Ich glaube eher, dass hier sehr viele »den Schlüssel auf den Nachttisch gelegt und die Tür offen gelassen« haben. Die Friseure und die Hooligans, alle, die diese Stadt tagsüber zum Leben erwecken, kommen von außerhalb. Es sind Pendler auf 1-Euro-Job-Basis, die von der Stadtverwaltung beauftragt wurden, das städtische Innenleben kreativ zu gestalten. Jeden Morgen kommen sie hierher, laufen die Straßen herunter, gießen die Geranien auf den Fensterbrettern, und manchmal vergessen sie, bei der Abreise den Wasserfall auszuknipsen.

Meine letzte Station war Rostock, eine der lebendigsten ostdeutschen Städte. Das Leben hier brummte, die Schülergruppe vor dem McDonald's und die Jogger in der Fußgängerzone schienen echt zu sein. Am Taxistand standen fünf Frauen mit Dauerwellen und warteten auf Kundschaft. Es waren die Taxifahrerinnen von Rostock, in gewisser Weise ein Markenzeichen dieser Stadt. Wenn es in Frankfurt die Pakistanis sind, in München die Türken und in Berlin die Geisteswissenschaftler, so sind in Rostock die besten Taxifahrer die Frauen mit Beton-Dauerwelle. Mit einer von ihnen bin ich dann auch gefahren. Ich schaute aus dem Fenster, die Sonne schien, und die Luft roch nach Meer.

»Schade eigentlich«, sagte ich, »dass Rostock, eine solch liebenswerte Stadt, sein fremdenfeindliches Image noch immer nicht losgeworden ist, obwohl das Ganze schon so lange zurückliegt. Aber jedes Mal, wenn die Medien in

Deutschland über Ausländerfeindlichkeit berichten, wird an die ›Brände von Rostock‹ erinnert.«

»Sie meinen Rostock-Lichtenhagen?«, fragte die Taxifahrerin. Damals vor fünfzehn Jahren hatte ein aufgebrachter Mob ein Asylantenheim in der Nähe von Rostock umstellt und mehrere Tage lang versucht, die sich darin aufhaltenden Vietnamesen samt einem ZDF-Fernsehteam zu grillen. Sie hatten aber Angst, zu nahe an das Haus zu kommen, warfen Steine und Molotow-Cocktails und lieferten dem Fernsehen erschütternde Bilder. Man konnte mit Recht sagen, es war der dämlichste Ausländerüberfall in der deutschen Nachkriegsgeschichte.

»Das war nicht gut«, bestätigte die Taxifahrerin. »Und nachher hatten wir noch mehr Ausländer als zuvor.«

»Das ist doch Quatsch«, entgegnete ich, »welcher Ausländer würde schon nach Rostock ziehen wollen, nur einer mit einem Knall. Es sind nie viele Ausländer hier gewesen, damals nicht und heute nicht. Schauen Sie aus dem Fenster, ich sehe keinen einzigen.«

»Natürlich können Sie sie nicht sehen«, sagte die Fahrerin, »tagsüber lassen sie sich nicht auf der Straße blicken, aber nachts kommen sie raus und haben die ganze Stadt längst unter sich aufgeteilt. Unten am Hafen sind die Vietnamesen die Bosse, oben die Türken, und hier im Zentrum sind es die Weißrussen.«

Das kam so überraschend, dass ich beinahe aus dem Auto gefallen wäre. »Die Weißrussen? Wie kommen Sie denn darauf? Wie erkennen Sie denn Weißrussen? Strahlen sie weiß?«

»Keine Ahnung, sie sagen, sie wären Russlanddeutsche, aber jeder hier weiß, es sind Weißrussen«, erklärte mir die Taxifahrerin.

Abends machte ich mir eine Notiz: »Taxifahrerinnen in Rostock können Weißrussen aus der Ferne erkennen.«

Vielleicht mache ich eines Tages einen Weißrussen-Roman daraus.

Deutsche Ordnung

Beinahe alle Ausländer loben hierzulande, wenn schon nichts anderes, dann zumindest die deutsche Ordnung. Nur die Deutschen selbst bemerken sie nicht (mehr). Das Große sieht man eben am besten aus der Distanz. Man muss weit wegfahren, um diese Ordnung vor Augen geführt zu bekommen. Ich wurde das letzte Mal in Moskau von einer Verkäuferin in einem Spielzeugwarenladen über Deutschland aufgeklärt. Ich war in einer privaten Angelegenheit dorthin gegangen, ich wollte ein kleines Geschenk für meinen Neffen kaufen. Er hatte sich ganz unspektakulär ein Feuerwehrfahrzeug zum Geburtstag gewünscht, ein rotes, versteht sich. Die junge Verkäuferin tackerte mir dieses rote Feuerwehrfahrzeug in buntes Geschenkpapier ein, wobei ihr der Tacker buchstäblich in der Hand auseinanderfiel.

»Verdammter Mist«, schimpfte sie. »Schon der zweite heute. Diese Scheißchinesen!«

Früher, erzählte sie, hatten sie in diesem Geschäft nur Tacker aus Deutschland, aus richtigem Kruppstahl. Die gingen nie kaputt. Man konnte mit ihnen Nägel in die Wand schießen und Mäntel kürzen, man konnte mit ihnen sogar komplizierte Frisuren zurechttackern, diese Geräte waren so sicher und robust wie ein Mercedes. Leider waren die Wundertacker aus Deutschland für die Leitung des Spielzeugladens zu teuer. Außerdem wurden sie angeblich gerne vom Personal für private Zwecke missbraucht, oft sogar mit nach Hause genommen. Deswegen beschloss die Chefetage, auf weniger robuste, aber preiswertere chinesische Geräte umzusteigen. Die Tacker aus Deutschland hatten aber einen unvergesslichen Eindruck hinterlassen und für große Achtung vor dem Herstellerland gesorgt.

»Die Deutschen machen alles perfekt«, gab die Verkäuferin an. »Sie sind für mich die Besten, die besseren Menschen!«

Ich lächelte verlegen über ihre Worte, schaute an die Decke und verschwieg aus falscher Bescheidenheit, dass ich selbst aus Deutschland war und daher genau wusste, was sie meinte.

»Die Deutschen bauen zum Beispiel diese Porsche«, schwärmte die Verkäuferin weiter. »Jede Schraube, alles per Hand. Und wenn sie fertig sind, messen sie den Porsche noch einmal bis auf den letzten Millimeter aus. Und wenn irgendwo ein Millimeter zu viel oder zu wenig dran ist, schmeißen sie das ganze Auto einfach in die Tonne und bauen ein neues!«

Ich staunte nicht schlecht über die Großzügigkeit von uns Deutschen.

»Auch bei der Post ist da die totale Ordnung angesagt«, fuhr die Verkäuferin fort. »Wenn du in Deutschland einen Brief abschickst, muss dein Adressat dem Briefträger auf einem speziellen Formular unterschreiben, dass er deinen Brief tatsächlich bekommen hat. Der Briefträger darf nicht nach Hause gehen, solange er nicht alle Unterschriften von allen Adressaten eingesammelt hat! Aber das Schärfste an Deutschland ist«, die Verkäuferin machte eine Pause und guckte mich bedeutungsvoll an.

Ich schluckte.

»Das Schärfste an Deutschland ist, wie sie mit Ruhestörern umgehen.«

»Wie?«, fragte ich interessiert, weil ich ja selbst von Natur aus ein Ruhestörer bin.

»Wenn jemand in Deutschland in seiner Wohnung zu laut wird, ruft sein Nachbar einfach bei der Polizei an, und dem Ruhestörer wird die Strafe automatisch vom Konto abgebucht.«

»Oh!«, atmete ich erleichtert auf.

»Sie haben Blitzer für Fußgänger!«, schrie die Verkäuferin fast. »Wenn du zum falschen Zeitpunkt über die Straße läufst, wirst du geblitzt, und zack, wird dir die Strafe automatisch von deinem Konto abgezogen!«

Ich versuchte mir während dieses Monologs vorzustellen, was der Frau in Deutschland wohl widerfahren war, konnte mir aber keinen Reim darauf machen. Wahrscheinlich hatte sie einfach ein paar lustige Wochen in Deutschland verbracht, musste für ein paar Eilbriefe unterschreiben, ihre Wohnungsnachbarn riefen bei der Polizei an, sie selbst fuhr sehr schnell mit einem Porsche, und so lange, bis er kaputtging, musste sie mehrmals zu Fuß über die Autobahn laufen.

»Alle Fahrzeuge in Deutschland werden von einem Satelliten automatisch überwacht. Wenn sie auch nur eine Sekunde lang zu schnell fahren, werden sie automatisch von dem Satelliten ausgebremst«, erzählte die Verkäuferin weiter. Automatisch schien eines ihrer Lieblingsworte zu sein.

In nachdenklicher Stimmung verließ ich den Laden. Beinahe hätte ich den roten Feuerwehrwagen vergessen, so erstaunt war ich. Deutschland ist schon schön, man weiß es nur einfach nicht. Wäre ich nicht in Moskau in diesen Spielzeugladen gegangen und der chinesische Tacker nicht exakt zur selben Zeit auseinandergebrochen, hätte ich nie erfahren, in was für einem tollen Land ich lebe. Man weiß eigentlich nie zu schätzen, was man hat, und erträumt sich stattdessen immer etwas anderes – was wäre, wenn. Aber das klappt dann nie.

Held werden

Wir wohnen in einer sportlichen Gegend. Bei gutem Wetter sitzen im Park auf der anderen Seite der Straße Frauen in Sportanzügen und machen Atemgymnastik, Jungs werfen einander kleine Bälle zu, und langsam wie Schildkröten ziehen Jogger unter meinem Balkon vorbei. Die alte olympische Parole »schneller, höher, weiter« passt zu diesen Sportlern nicht. Sie wollen keine Spitzenleistungen erbringen, sondern sich bloß fit halten. Nicht umsonst ist die populärste Sportart in Deutschland nicht Fußball, sondern Yoga – die demokratischste Form der Fitness. Jeder, ob dick, dünn, faul oder geistig behindert, kann Yoga machen. Man braucht keine Geräte, keine Ausrüstung, höchstens eine Yogamatte oder für Fortgeschrittene ein Nagelbrett zum bequemen Sitzen. Doch zur Not kann man Yoga auch auf einer alten Zeitung üben. Wenn man keine Lust hat, allein zu trainieren, geht man zu einer Gruppe. Beinahe in jeder Straße bei uns gibt es ein Yoga-Center, manche mit, manche ohne Guru. Dabei werden besonders »innere Ruhe und Ausgeglichenheit« trainiert. Außerdem verspricht Yoga dem fleißigen Schüler eiserne Kraft, ewige Jugend und ein ausgeglichenes langes Leben in Harmonie mit sich selbst und der Welt. Die Yogis sind die Helden des Egoismus.

Neulich sagte mir ein Freund und Nachbar, nachdem er mehrere Stunden im Fitnesscenter verbracht hatte, er wolle damit bloß etwas für seinen Oberkörper tun. Für jemanden, der wie ich in einem ideologischen Staat aufgewachsen ist, hörte sich das merkwürdig an. Bei uns tat man etwas für seine Familie, für Freunde, für die Frau, die man liebte, letzten Endes für Volk und Vaterland. Aber für seinen Oberkörper? An die Stelle der ideologischen Zwänge der Vergangenheit sind die körperlichen Zwänge der Neuzeit getreten, wir sind in einer putzigen Oberkörper-Gesellschaft gelandet. Die Helden aus früheren Zeiten, all die Supermans, Batmans und Spidermans, hatten sich zwar auch um ihren Oberkörper gekümmert, das taten sie aber nur, um mit ihm die Welt zu retten. Die Helden der sowjetischen Zeit schmissen sich mit ihrem Oberkörper gar auf feindliche Maschinengewehre wie Alexander Matrossow, oder sie sprengten sich zusammen mit dem Feind in die Luft wie der Pionierheld Marat Kasei.

Der Hauptunterschied zwischen den westlichen und unseren Helden war: Unsere waren alle tot. Nur ein Toter konnte bei uns ein richtiger Held sein. Zumindest die Pioniere, die Kinderhelden, haben alle ihr Leben geopfert. Sie wurden in einem Buch aufgelistet, das in fast jedem Kinderzimmer der Sowjetunion im Bücherregal stand. Nicht alle diese Pioniere sind mit der Waffe in der Hand zu Helden geworden. Pawlik Morosow zum Beispiel denunzierte seinen Vater, einen Bauer, der die halbe Ernte vor den Kommunisten versteckt hatte, und wurde dafür von den anderen Verwandten umgebracht. Ein anderer waffenloser Held war Musja Pinkelson, ein jüdischer Junge, der auf von Deutschen okkupiertem Territorium blieb und laut der Legende so gut Geige spielte, dass die Deutschen ihn statt ins KZ nach Hause schicken wollten. Aber da spielte Musja Pinkelson plötzlich aus Trotz die Internationale und wurde prompt zu einem Pionierhelden. Diese Kinder sollten uns ein Vorbild sein, weil sie so viel Schmerz und Leiden aushielten, Mut und Durchhaltevermögen zeigten und ihr Leben opferten, um die Allgemeinheit zu retten.

Nach dem Krieg kamen allerdings keine neuen Helden mehr dazu. Und ohne Heldentaten stagnierte wiederum die Ideologie. Die ersten Helden der Neuzeit kamen erst 1975 in die Sowjetunion, als im sowjetischen Fernsehen ein Dokumentarfilm mit dem Titel *Indische Yogis – wer sind sie wirklich?* ausgestrahlt wurde. Es ist bis heute unklar, wie dieser Film durch alle Barrikaden des Zensurkomitees in das stark kontrollierte ideologische Feld der Sowjetunion gelangen konnte. Der Sinn dieses Aufklärungsfilms bestand natürlich nicht darin, Werbung für Yoga zu machen, sondern umgekehrt: die dekadenten und perversen Praktiken des Auslandes zu entlarven. Doch was die Bürger auf dem Bildschirm zu sehen bekamen, erinnerte keineswegs an lausige Schergen des Kapitals. Die kleinen dünnen Yogis saßen auf Nagelbrettern, konnten sich tagelang mit einer Hand an einen Baum hängen, liefen über glühende Kohle und lächelten dabei milde. Sie konnten

Ewigkeiten unter Wasser schwimmen, ohne zu atmen, und monatelang ohne Essen und Trinken aushalten. Das wollten die Russen schon immer können.

Schon am Tag nach der Ausstrahlung des Films saß das halbe Land im Schneidersitz. Früher unsportliche Menschen schrieben Yoga-Übungen per Hand voneinander ab und gaben ihre Schriften weiter. Anders als ihre Vorgänger wollten die Yogis weder die Welt retten noch die Überlegenheit einer Ideologie beweisen. Sie saßen nicht aus Prinzip auf den Nägeln, sondern einfach so, aus Spaß. Die Verbreitung von Yoga wurde zu einer Katastrophe für die sozialistische Ideologie. Statt die Klassiker des Marxismus-Leninismus zu studieren, standen die Menschen Kopf, zu Hause und bei der Arbeit. Manche kamen bei der Erforschung der Möglichkeiten des eigenen Körpers ziemlich weit. Meinem Vater gelang es einmal, ein Bein hinter den Kopf zu klemmen, zurück schaffte er es jedoch nicht mehr – die Folge war ein Leistenbruch. Nach drei weiteren Leistenbrüchen hörte er mit Yoga auf.

Mein Freund, der Künstler, schimpft gerne über Yoga und die ganze indische Philosophie. Er sagt, sie sei die Religion der Gleichgültigkeit. Diese Menschen könnten zwanzig Jahre lang eine Wand anstarren, die Welt sei ihnen einfach egal, sie wollten bloß ihre innere Ruhe haben und sich nicht anstrengen. Deswegen lebten sie auch so lange.

»Du kannst wählen«, schimpfte mein Freund, »entweder etwas Gutes tun und hoffen oder dein Leben wie ein Schmarotzer entspannt in der Lotus-Position auf dem Nagelbrett verbringen! Die erfahrenen Yogis sagen, es täte sowieso nur beim ersten Mal weh. Danach muss man nur noch die alten Löcher treffen.«

Der deutsche Mann

Ich habe viele deutsche Männer beobachtet, obwohl mich grundsätzlich die Frauen mehr interessieren. Ich sehe diese Männer oft bei der Tanzveranstaltung »Russendisko«, wo ich seit über zehn Jahren jede zweite Woche den DJ mache. In der letzten Zeit ist Berlin ein Mekka für junge Touristen geworden, eine Art Paris für Arme. Neben unserer Disko sind mehrere Hotels aus dem Boden gestampft worden, viele Engländer, Amerikaner, Italiener kommen zum Tanzen und Feiern. Dadurch wird der deutsche Mann noch deutlicher sichtbar. Man erkennt ihn daran, dass er neben dem Tresen oder in einer Ecke nahe dem Eingang bei der Kassiererin steht und das hereinströmende Publikum beobachtet. Zuerst dachten wir, er wäre vom Finanzamt geschickt worden, um zu kontrollieren, ob der Geldverkehr ordnungsgemäß abgewickelt wurde. Aber nein, er wollte eigentlich nur Frauen kontrollieren. Oft konzentriert sich der Mann dabei auf eine ganz bestimmte, als wolle er sie hypnotisieren. Aber er geht nicht auf sie zu, um sie kennenzulernen. Er bewegt sich überhaupt sehr vorsichtig. In manchen amerikanischen Actionfilmen schlucken Drogendealer Kondome mit Heroin, um die Droge über die Grenze oder in den Knast zu schmuggeln. Sie dürfen dann nicht herumspringen, denn die Ladung in ihrem Körper würde sie sofort umbringen, wenn sie platzen würde. So bewegen sich die Deutschen in der Disko: Als würden sie in sich einen zerbrechlichen Schatz bergen. Von Protzen oder sportlichem Anbaggern, wie es den Russen eigen ist, kann keine Rede sein.

Die Courage, die meine Landsleute aufbringen, wenn es ums Saufen, Ausgehen oder Sichverlieben geht, ist dem deutschen Mann fremd. Eigentlich weiß er selbst nicht, was er von der Frau will, die er stundenlang beobachtet. Heiraten hat er nicht vor, das würde eine zu große Einschränkung seiner Freiheit bedeuten und seine Tagesordnung durcheinanderbringen. Eine Frau in ihn verliebt zu machen, dafür fehlt ihm der Ehrgeiz. Für ein kurzfristiges Abenteuer ist er nicht sportlich genug, und außerdem hat er Angst um seinen Geldbeutel. Und wenn er dann doch nach zwei Jahren gucken beschließt, eine bestimmte Person kennenzulernen, dann wird er sie auch nicht gleich anspringen, sondern sich zuerst beraten – mit seinen Kumpeln, seinem Anwalt, vielleicht noch seinem Arzt und seinem Steuerberater, möglicherweise seiner Mutti. Er hat Dutzende Beratungsstellen, die einen zu Tode beraten können.

Der Gerechtigkeit halber muss an dieser Stelle gesagt werden, dass diese Beschreibung nur auf den heterosexuellen Mann passt. Die Homosexuellen in Deutschland kennen diese Zurückhaltung nicht, sie zeigen oft Großzügigkeit und Courage. Wenn sie verliebt sind und das Objekt ihrer Begierde umschwärmen, gibt es kein Halten mehr. Der heterosexuelle Mann hat es dagegen schwerer. In gewisser Weise sind Frauen daran schuld, dass dieser unsichere Typus sich dermaßen stark entwickelte. Sie haben hierzulande dem Mann besonders kräftig mit dem Hammer des Feminismus auf die Eier geschlagen. Ich möchte über den Feminismus nicht schimpfen. Der Kampf der Frauen für ihre Rechte war richtig und notwendig. Es gibt aber kaum Kämpfe ohne zivile Opfer. Leider ist der deutsche Mann in diesem Kampf zu einem Kollateralschaden geworden.

Es hat etwas Anrührendes, wenn sich Kollateralschäden verlieben. Sie wirken ohnmächtig, so als wären sie von ihrer eigenen Verliebtheit hypnotisiert. Sie können jahrelang um eine Frau herumkreisen wie versengte Motten um eine Glühbirne und diese Frau mit gesellschaftlich relevanten Themen vollsummen, anstatt gleich zur Sache zu kommen, d.h. ihr die eigenen Gefühle direkt zu offenbaren. Dafür bleiben die Deutschen eben länger verliebt. Manchmal gehen sie mit dem Objekt ihrer Begierde zwanzigmal essen und dreißigmal wandern, trinken fünfzig Liter Latte macchiato zusammen und essen kiloweise Kuchen dazu, bevor sie einander finden.

Diese Kommunikationsschwierigkeiten haben damit zu tun, dass Frauen in Deutschland viel gleichberechtigter sind als Männer. Sie haben auch viel länger darum gekämpft. Früher hatte es eine Frau in Deutschland nicht leicht, sagt man jedenfalls. Sie durfte z.B. weder Kaiser noch Führer werden, später auch nicht Bundeskanzler.

Viele von ihnen waren fest aufs Zuhausesitzen abonniert, wo sie sich ständig um Essen, Kinder und Haustiere kümmern mussten. Der Kampf der Frauen für ihre Rechte endete mit einem Erfolg. Die deutschen Männer der Gegenwart haben nun großen Respekt vor Frauen. Für sie ist eine Frau ein vollwertiges Mitglied der Gesellschaft – wenn sie sich bei einer Frau einkratzen, dann tun sie es nicht mit sexistischen Witzchen, sondern auf politisch korrekte Art, als wäre die Frau ihr Vorgesetzter. Sie reden über Fußball, Kino und die Mehrwertsteuer.

Die Kunst der übertreibenden reizenden Komplimente hat den Sprung in diese emanzipierte Welt nicht geschafft, da halten sich die deutschen Männer zurück. Die Einzigen hier, die sich solche Umgangsformen bei Frauen erlauben, sind Männer aus sogenannten orientalischen Kulturkreisen. In ihnen ist immer Platz für durchgeknallte Komplimente aller Art, und selbst die jungen Männer beherrschen noch die alte Kunst, eine Frau mit einem Spruch zum Schmelzen zu bringen. Wenn sie verliebt sind, strotzen sie vor Komplimenten, obwohl man bei diesen Männern nie sicher sein kann, ob sie tatsächlich verliebt sind oder nur so tun. Das, was sie den Frauen sagen, ist lächerlich und eine Lüge noch dazu, es klingt, als ob einer versuchen würde, die Geschichten aus *1001 Nacht* in einem Satz zusammenzufassen:

»Du hast so süße Augen – hat dein Vater eine Zuckerfabrik?«

Jeder normale Mensch würde sich schämen, so etwas auch nur anzudeuten. Eine Zuckerfabrik! Was für eine billige, beleidigende Anmache! Das Traurige ist: Sie funktioniert. Die Klugen, die Schönen und die Selbstbewussten schmelzen dahin, wenn sie auf orientalische Art angebaggert werden. Auch wenn sie es nicht gleich zeigen, gefällt es ihnen, einmal als Zuckerfabrikprodukt angesprochen zu werden. Nicht selten habe ich bei uns in der Disko gesehen, wie eine solche emanzipierte und hochgebildete Zuckerfabrik mit einem gegelten BMW-Hirten im Arm die Tanzfläche verließ.

Merkwürdigerweise taugt diese orientalische Anmache nicht zur Nachahmung. Als ein Freund, ein Angehöriger des russischen Kulturkreises, einmal etwas Ähnliches versuchte – »Du hast einen süßen Hintern – hat dein Vater einen Hinternbetrieb?« –, bekam er sofort eine übergebraten, noch bevor er dazu kam, die Qualitäten der väterlichen Produktion besser zu beschreiben. Frauen sind unergründlich. Sie wissen selbst nicht, was sie wollen.

Meine Landsleute drehen gerne durch, wenn sie verliebt sind. Sie geben ihr ganzes Geld für Blumen aus und schmeißen sie der Frau vor die Füße. Oder sie streiten mit ihr, betrinken sich sinnlos, drohen mit Selbstmord und versuchen auch sonst mit allen Mitteln, die Aufmerksamkeit der Frau auf sich zu lenken – aber ohne Komplimente. Ein Freund von mir hat neulich alle exotischen Fischchen aus dem Aquarium seiner Freundin vor ihren Augen roh aufgegessen, um ihr zu zeigen, wie irre ihn ihre Gleichgültigkeit gemacht hat. Sie meinte dazu nur: »Du hast zu viele Filme geguckt.« Dies ist ein Beispiel dafür, welch ungeheure Macht die Frauen in Russland über ihre

Macho-Männer besitzen. Sie können sie abfüttern, womit sie wollen, sie drehen und wenden nach Belieben. Warum das so ist, weiß ich nicht.

Münster

Es regnete in Münster, als ich ankam. Aber auch schon vor meiner Ankunft regnete es dort, und es hat auch nach meiner Abreise nicht aufgehört zu regnen. Gelegentlich schaue ich im Internet auf www.wetter.de, wie die Lage in Münster jetzt ist: Es regnet dort noch immer.

»Ja, das hier ist nicht Marokko«, bestätigte mir der Taxifahrer, ein Marokkaner, der aus familiären Gründen Münsteraner geworden war.

»Ist Münster eigentlich eine lebenswerte Stadt?«, fragte ich ihn.

Er lachte. »Warum fragen Sie? Haben Sie über diese Medaille gelesen?«

»Nein, welche Medaille? Ich weiß von nichts«, entgegnete ich.

»Münster hat eine Medaille, eine Auszeichnung bekommen für das, was Sie gesagt haben«, lachte der Taxifahrer.

»Als lebenswerte Stadt?«, hakte ich nach.

»Genau! Niemand hier versteht das!«

»Sie meinen, die Bewohner bemerken die Lebenswürdigkeit ihrer Stadt nicht?«

»Ja, die bemerken nur die Touristen«, klärte mich der Taxifahrer auf. »Auch Sie haben sofort zu Münster dieses Wort gesagt, dieses Wort«, zwinkerte mir mein Gegenüber zu, der wahrscheinlich ein Gelöbnis abgelegt hatte, niemals das Wort »lebenswert« in der Öffentlichkeit auszusprechen.

Ich hatte dieses Wort gesagt, weil es hier seit zwei Tagen ununterbrochen regnete. Ein solches Wetter kann jeden zur Verzweiflung bringen.

»Ich wusste nicht, dass Münster die lebenswerteste Stadt Deutschlands ist«, erklärte ich ihm.

»Nein, nicht Deutschlands, der ganzen Welt!«, erzählte der Taxifahrer lachend.

Wir fuhren zur Schwimmhalle. Nach zwei Tagen im Regen dachte ich, wenn es sowieso überall nass ist, dann kann ich auch gleich richtig baden gehen. Die meisten Schwimmbäder in Münster hatten allerdings gerade einen freien Tag, wurden renoviert oder waren einfach zu. Zwei Schwimmbäder waren jedoch offen. Eine Schwimmhalle im Bezirk Kinderhaus und das Hallenbad Ost.

»Das Kinderhaus würde ich Ihnen nicht empfehlen«, meinte der Taxifahrer, »das Kinderhaus ist in Münster wie Harlem. Verstehen Sie – Harlem?«, fragte er nach.

»Ja«, sagte ich, »Harlem verstehe ich gut.«

»Viele Menschen aus verschiedenen Kulturen, zusammengeworfen in einem Getto, wenig Arbeit, wenig Geld, wenig Bildung, wenig Zukunft. Hoffnungslosigkeit. Verstehen Sie Hoffnungslosigkeit?«, fragte er.

Wir fuhren also zum Hallenbad Ost.

»Bei der Verleihung der Medaille spielte wahrscheinlich das Wetter keine Rolle«, murmelte ich.

»Nein«, lachte der Fahrer, »das Wetter spielte keine Rolle. Aber das Wetter ist nicht das Wichtigste, und Münster ist schön. Nur die Menschen hier sind komisch. Die Menschen hier haben Geld, aber sie lachen nicht, selbst wenn die Sonne scheint, freuen sie sich nicht.«

»Das ist klar«, sagte ich, »je mehr man hat, desto größer ist die Angst, alles zu verlieren. Wer auf einem hohen Bett schläft, kann runterfallen, wer auf dem Boden schläft, nicht mehr. Die Menschen in Deutschland haben Existenzangst«, fügte ich hinzu.

»Genau dieses Wort!«, bestätigte der Taxifahrer. »In Marokko haben wir fast immer gutes Wetter, es regnet nie, die Menschen sind aber trotzdem unglücklich und haben die gleiche Angst, obwohl sie doch viel ärmer sind, viel weniger besitzen und sich entspannen könnten. Nein, arm in der Sonne macht auch nicht glücklich«, schüttelte der Taxifahrer den Kopf.

Das Hallenbad Ost sah schon von außen heiß aus und war es drinnen auch tatsächlich. Bei uns in Ostberlin hatte die Schwimmhalle »Ernst Thälmann« ähnlich ausgesehen, bevor sie renoviert und auf westlichen Standard gebracht wurde. Ich habe damals diese Renovierung als Vergangenheitsverlust empfunden, der ganze spätsozialistische Schick verschwand plötzlich, er löste sich in Luft auf. Inzwischen weiß man aber dank der Wissenschaft, dass sich nichts einfach so in Luft auflöst, wir leben vielmehr in einer Welt, in der alles mit allem zusammenhängt. Und so ist wohl der spätsozialistische Schick des Ernst-Thälmann-Bades nach Münster abgewandert und schmückt nun dort das Hallenbad Ost.

Draußen vor dem Bad saß eine verlorene Schulklasse ohne Lehrer. Im Inneren gab es wenig Wasser und viel Mensch. Mindestens drei weitere Schulklassen sprangen einander über die Köpfe, stark tätowierte Jungs in langen Badehosen standen an den Ecken und hielten Wache, und sportliche Rentner trainierten zu fünft Synchronschwimmen auf dem Rücken. In der Mitte des Bades hing eine Leine, mit der sogenannte Nichtschwimmer vor dem tiefen Wasser geschützt werden sollten und die nebenbei jedes Schwimmen verhinderte. Es war ein sehr lustiges Bad.

Als ich nach zwei Stunden wieder herauskam, regnete es noch immer. Auf dem Rückweg erwischte ich einen anderen Taxifahrer, diesmal einen gebürtigen Münsteraner.

»Wussten Sie, dass Münster eine Auszeichnung bekommen hat – als lebenswerteste Stadt der Welt?«, fragte ich ihn.

»Ja, aber das war vor vier Jahren, und die Auszeichnung galt nur für Städte mit weniger als vierhunderttausend Einwohnern«, entgegnete mein neuer Taxifahrer.

»Ich wette, es hat auch damals in Münster geregnet, aber die Jury hat den Wetterfaktor nicht berücksichtigt«, setzte ich mein Lieblingsthema fort.

»Sie hatten damals andere Kriterien«, erzählte der Fahrer. »Zum einen die Grünflächen, Münster ist eine sehr grüne Stadt, man kann hier viel mit Kindern unternehmen, und man ist ständig von der Natur umgeben. Das Fahrradwegnetz ist sehr gut ausgebaut, man kann überall mit dem Fahrrad fahren, und der historische Kern im Stadtzentrum ist aufwendig restauriert, sehr sehenswürdig, waren Sie schon da? Aber wenn Sie mich fragen, so lebenswert ist die Stadt nicht, ich habe schon lebenswertere gesehen. Zum Beispiel in Marokko. Ich bin gerade mit meiner Freundin dort gewesen, wir waren zehn Wochen mit einem Wohnmobil unterwegs, ein phantastisches Land! Paradiesische Landschaften, nette, freundliche Menschen, und Fremden gegenüber total offen, obwohl sie doch Moslems sind. Natürlich wollen auch sie ihr Geschäft mit den Touristen machen, aber sie tun es bei Weitem nicht so aufdringlich wie die Werbung im deutschen Fernsehen. Und preiswert ist das Land auch noch, das Benzin kostet dort nur sechzig Cent pro Liter. In zehn Wochen haben wir bloß tausendfünfhundert Euro zum Leben gebraucht. Ich dachte, hier wäre schon Frühling, wenn wir zurückkommen, aber wir waren viel zu früh wieder da. Kaum in Münster, war ich schon wieder reif für den nächsten Urlaub. Ich würde am liebsten sofort wieder nach Marokko fahren, aber es geht nicht. Meine Freundin hat keinen Job, und irgendjemand muss ja das Geld verdienen«, erklärte mir der Fahrer.

Am nächsten Tag saß ich im Zug nach Berlin, beobachtete die Regentropfen am Fenster und dachte, dass die Menschen eigentlich nirgends glücklich werden können. Auf jeden Fall nicht dort, wo sie gerade sind. Sie reisen hin und her, sammeln ihre »Erfahrungen«, »Erlebnisse«

und ihre Kritik an der Weltordnung, aber richtig glücklich sind sie wahrscheinlich nur unterwegs. Münster ist mir auf jeden Fall als verregnete lebenswerte Stadt in Erinnerung geblieben, und oft, wenn ich schlechte Laune habe, schaue ich im Internet auf www.wetter.de, ob es in Münster regnet. Es regnet fast immer, und so bessert sich meine Laune.

Der Erfinderladen

Über Berlin ist seit Langem bekannt, dass alle Wege in dieser Stadt in einer Kneipe enden. Die Kneipen und Friseursalons stehen hier in Reihen nebeneinander, und wenn eine Kneipe aus gesundheitlichen Gründen pleitegeht, macht sofort eine andere an ihrer Stelle auf. Die Menschen können sich in diesem ewigen quasi-natürlichen Kreislauf der Kneipen und der Friseursalons nicht verlieren. Die meisten haben gar keine Haare mehr, sie müssen nicht lange überlegen, wo sie hingehen.

Lange Zeit dachte man, in unserer von Krisen bedrohten Zeit seien Kneipen der einzige sichere Hafen. Dementsprechend groß war meine Überraschung, als eines Tages anstelle einer Kneipe bei uns in der Nebenstraße ein Erfinderladen eröffnete. Dort werden Erfindungen aller Art ge- und verkauft. Die Mehrheit der Kunden, die diesen Laden betreten, sind Erfinder: Sie kaufen nichts, sondern wollen ihre Erfindungen loswerden. Die Deutschen erfinden gerne, misstrauen gleichzeitig aber den Erfindungen anderer. Es wird in dem Laden so wenig verkauft, dass es einem das Herz brechen kann. Nichts ist trauriger als der Anblick eines Erfinders, dessen Erfindung niemand braucht.

Ich gebe zu, die meisten Erfindungen scheinen sinnlos, und die meisten Erfinder sehen aus, als hätten sie einen Dachschaden, und wahrscheinlich haben sie tatsächlich einen. Die besonders Penetranten unter ihnen kommen jeden Tag in den Laden. Der eine hat eine Weltformel entdeckt, die alles erklärt, und attackiert fremde Menschen geradezu mit seiner Entdeckung. Aber niemand will sie haben. Ein anderer kann Schokolade aus Biomüll herstellen und bietet jedem ein Stück davon zum Probieren an. Aber außer meiner Mutter hat noch niemand seine Schokolade aus Biomüll probiert, weil sie hellgrün und nicht besonders schmackhaft aussieht. Meine Mutter, kein Gourmet, sondern ein Mensch, der in Krieg und Hungerzeiten aufgewachsen ist, nickte auf Nachfragen nach dem Geschmack ausweichend und meinte anschließend fast triumphierend, auch das könne man zur Not essen. Es gibt auch noch einen Sportsfreund unter den Erfindern, der dreieckige Fußbälle für ein effektives Torwart-Training erfunden hat, aber die Torwarte meiden diesen Laden. Niemand steht Schlange, um die dreieckigen Bälle zu ergattern.

Die meisten Erfindungen, die im Schaufenster des Erfinderladens ausgestellt sind, zeigen, wie kleinmütig der menschliche Erfindungsgeist geworden ist. Früher, als man noch an den unaufhaltsamen Fortschritt glaubte, wurde beinahe jede Erfindung weltweit groß bejubelt. Die Amerikaner hatten die Atomkraft gebändigt, die Russen bauten eine Rakete nach der anderen und flogen damit ins All. »Auch diese Hürde ist genommen worden!«, schrieben die Zeitungen begeistert. »Bald ziehen die ersten Russen auf den Mars!«

Man hatte das Gefühl, es fehlte nur noch ein kleiner Schritt, und wir hätten es geschafft, nichts mehr würde dem ewigen Leben im Paradies im Wege stehen. Man brauchte kein himmlisches Paradies mehr, denn wir waren drauf und dran, ein irdisches aufzubauen. Man musste bloß noch der Natur ihre letzten kleinen, schmutzigen Geheimnisse entreißen, um sie ganz in den Dienst der Menschheit treten zu lassen. Doch dann bauten die Amerikaner bloß noch Atombomben, und die Russen kamen aus dem All zurück und wussten nur von der Dunkelheit und der Kälte dort oben zu berichten. Die Hoffnung auf ein irdisches Paradies schrumpfte und mit ihr die großen Erfindungen. Sie wurden immer kleiner und unterhaltsamer: Fernsehen, Computer, Mobiltelefone – man versuchte, sich in dieser unvollkommenen Welt gemütlicher einzurichten. Später wurde Altes modernisiert, statt Neues zu erfinden. Die Fernseher wurden immer größer, die Telefone immer kleiner, bis irgendwann die Fernseher nicht mehr ins Schlafzimmer passten und die Telefone so klein wurden, dass man Gefahr lief, sie beim Telefonieren zu verschlucken.

Heute entwickelt sich der Erfindungsgeist der Menschen gemäß ihren besonderen volkstümlichen Sitten und Bräuchen. Nach dem Sortiment des deutschen Erfinderladens in unserer Nebenstraße zu urteilen, streben deutsche Erfinder hauptsächlich danach, Sachen, die einem lieb und teuer sind, gut zu verstecken. Drei Viertel der Erfindungen drehen sich darum. Man findet hier Verstecke für jeden ausgefallenen Geschmack: hohle Bibeln mit ausgeschnittenem Inhalt, Bierdosen mit doppeltem Boden, Schrauben, die in Wirklichkeit gut getarnte leere Hülsen sind. Auch erfinden Deutsche vieles, um ihre Habe zu schützen. »Eine feuerfeste Hülle für dein iPhone« stand auf einer Erfindung geschrieben. Der glückliche Inhaber dieser Hülle musste keine Angst mehr um sein Telefon haben. Er konnte damit sogar in Flammen stehend telefonieren. Auch ein feuerfestes Portemonnaie habe ich dort entdeckt. Wie schön ist es, die Sicherheit zu haben, dass, selbst, wenn du in Flammen aufgehst und bis auf die Mantelknöpfe ausbrennst, dein Portemonnaie erhalten bleiben wird – zur Freude der Kinder und der anderen Familienangehörigen. Auf gut Deutsch heißt das, glaube ich, Nachhaltigkeit, die Sorge um die nachfolgenden Generationen.

Während deutsche Erfinder an die Zukunft denken und den Menschen solide Verstecke für sich selbst und ihre Habe anbieten, glauben die Russen an das Hier und Heute. Sie wollen keine Gedanken an die Zukunft verschwenden. Der russische Erfindergeist, der einst das Universum erobern und die Menschen auf den Mars schicken wollte, beschäftigt sich nun damit, was man erreichen kann, ohne vom Sofa aufzustehen, ohne Schweiß und Stress. Wie man sich zum Beispiel Spiegeleier auf einem Bügeleisen brät oder aus einer Rasierklinge und einer Schachtel Streichhölzer einen Wasserkocher bastelt, und wie man mit dem bloßen Finger aus Milch Sahne schlagen kann. Sie erfinden Löffel, die sich in Gabeln verwandeln, und umgekehrt; Kleidungsstücke, die sich je nach Wetterlage verändern; Hosen, die sich in Unterhosen verwandeln; Hemden, die sich zu T-Shirts umkrempeln lassen, und sich selbst reinigende Socken.

Um zukünftige Generationen sorgen sich die Russen nicht. Neulich ließ der russische Premier bei der feierlichen Eröffnung eines neuen Öl- und Gas-Instituts seine Rede an die Ölarbeiter der Zukunft unter den Mauern dieses Institutes vergraben. Sie soll im Jahr 2080 wieder ausgegraben und vorgelesen werden. Alle rätseln nun, was er in seiner Ansprache gesagt hatte, was für Glückwünsche der Premier den Ölarbeitern der Zukunft zueignen könnte. Angesichts der Tatsache, dass die Ölvorkommen bis dahin längst aufgebraucht sein werden, und dank geheimer Informationen, die aus kremlnahen Kreisen an die Öffentlichkeit durchsickerten, geht die Meinung der meisten Kommentatoren dahin, dass der Premier in seinem Redetext gar nichts zu sagen gewusst und stattdessen nur ein lustiges kleines Bärchen gemalt hatte, das den Ölarbeitern der Zukunft einen großen Stinkefinger zeigt.

Demut

In Deutschland fordern ab und zu einige Millionäre die Regierung auf, sie höher zu besteuern, weil sie zu viel besäßen und deswegen Gewissensbisse hätten. Anstatt sich des überflüssigen Reichtums in aller Stille zu entledigen, schweigend ihr Geld an die Staatskasse zu überweisen, machen sie jedoch eine große Kampagne daraus, trommeln sich auf die Brust und fordern lautstark eine Reichensteuer nicht nur für sich selbst, sondern für alle Reichen, auch für diejenigen, die sich gar nicht reich fühlen. Das ist Demut auf Europäisch.

Im Kaukasus, auf dem Land, sind die Türen in manchen Häusern extrem niedrig gebaut, damit jeder Gast gebückt eintreten muss. Ein Aberglaube dort besagt, nur der Teufel ginge hinein, als hätte er einen Besen geschluckt, ohne sich zu bücken. Wer sich dagegen bückt und kniet, der kann kein schlechter Mensch sein. Das ist Demut auf Kaukasisch. Ein anderer kaukasischer Aberglaube besagt übrigens, dass man in einem fremden Haus nichts loben oder begehren darf, da andernfalls der Gastgeber das Objekt der Begierde dem Gast sofort schenken muss. Mein Onkel hat durch diesen Aberglauben bereits zwei tolle

Sakkos und einen Hut eingebüßt. Letzteren fand er selbst allerdings nicht so toll.

Im Kaukasus haben die Menschen großen Spaß am Verschenken. Das hilft den Männern, nicht so verbissen an ihren Sachen zu hängen, d.h. ihre Unabhängigkeit und somit ihre Freiheit zu bewahren. Die Männer Mitteleuropas hingegen kleben buchstäblich an den Dingen, die sie zu besitzen glauben. In Wirklichkeit besitzen die Dinge sie. Mein Freund York bekam vor zehn Jahren das Angebot, während seines Urlaubs auf einer kroatischen Insel für fünfzehnhundert DM ein Schlauchboot zu kaufen, gebraucht, aber wie neu und mit einem guten Motor. Ein Schnäppchen, sagten ihm alle Freunde. Die Insel war seit eh und je von deutschen Urlaubern okkupiert. Früher hatte das Boot einem Philosophen der Frankfurter Schule, einem Schüler Adornos, gehört, der es mit professorischer Zärtlichkeit behandelt, geputzt und gepflegt hatte. Nun war aber der Professor zu alt, um aufs Meer hinauszufahren. Er verkaufte das Boot in gute Hände. York konsultierte mehrere Seemänner, bevor er auf das Angebot einging, und alle meinten unisono, es sei ein günstiger Sonderfall, er solle es sofort kaufen. Nur ich, kein Seemann, sagte ihm damals: »Mach es nicht! Wenn du das Boot kaufst, wirst du nirgendwohin mehr fahren können, du wirst dein Leben lang an die Insel gekettet sein, wo dein Boot liegt.«

»Bist du verrückt, ich richte mein Leben doch nicht nach einem Schlauchboot!«, protestierte York damals. Seitdem sind zehn Jahre vergangen, und York verbringt jede freie Minute bei seinem Boot. Er fährt es raus, kontrolliert den Vergaser, putzt es in der Garage.

Erinnert sich jemand an diese traurige Fernsehwerbung, die vor ein paar Jahren lief, als zwei Männer voreinander mit Fotos von ihrem Eigentum angaben: mein Auto, mein Haus, mein Boot? Ich erinnere mich nicht mehr, wofür sie genau geworben haben, aber an ihre Gesichter kann ich mich noch gut erinnern. Angst und Unterwürfigkeit vor den Dingen spiegelte sich in ihren Augen wider, eine typische Männersache. Männer fühlen sich oft leer und verloren, sie haben Angst abzuheben und wegzufliegen wie von Kindern losgelassene Luftballons. Deswegen hängen sie an ihren Immobilien, Autos und Booten, die sich zwar bewegen können, aber auch immobil sind. Schließlich müssen sie, egal wohin sie gefahren werden, irgendwann immer zurück in die Garage bzw. in den Hafen gebracht werden.

Der Gerechtigkeit halber muss ich sagen, dass Frauen viel weniger Interesse an solchen Immobilien haben. Das Körperliche, Lebendige zieht Frauen mehr an. Sie besitzen zum Beispiel gerne Männer. Sie können mit ihren Körpern machen, was sie wollen: sie im Sommer am Strand eincremen und im Winter fürs Taschentragen zum Einkaufen mitnehmen. Aber auch Frauen glauben, etwas zu besitzen, was ihnen nicht gehört, und weinen bittere Tränen, wenn ihr Besitz sich befreit.

Damit einem solche Überraschungen erspart bleiben, üben manche sich in Demut, in Askese, im Verzicht auf dies und jenes. Am besten hilft es, gleich auf alles zu verzichten, frei und unabhängig durch die Welt zu pilgern und ganz nebenbei auch noch herauszufinden, wie herzlich wenig ein Mensch eigentlich zum Leben braucht – nämlich nicht einmal ein belegtes Brötchen, nicht einmal das. Am Rande der Landstraße sich fortbewegen, nicht predigen und nichts lehren, nicht immer recht haben wollen, verständnisvoll und tolerant sein.

Doch nichts ist hochmütiger als dieses tolerante Pilgertum – eine Beleidigung für die Welt und seine Bewohner. Allein schon der Begriff »Toleranz« setzt voraus, dass man von Zurückgebliebenen umgeben ist, die man tolerieren muss, als wäre man selbst der Träger einer höheren, überlegenen Kultur, die sich selbst nie hinterfragt. Toleranz ist nicht nur hochmütig, sondern auch gefährlich. Versuchen Sie am liebsten gar nicht erst, tolerant zu sein. Es werden sich immer Neugierige finden, die Ihre Toleranzgrenze austesten wollen, nur um zu erfahren, wie lange man einem Tolerierer auf die Glatze spucken muss, damit er endlich Amok läuft. Die Pilger und die Asketen verzichten auf eine Welt, die sie nicht verstanden haben, die sie nicht erkennen, die sie nicht lieben, vor der sie Angst haben. Sie sehen und hören so wenig von der Welt wie Blinde in einer Kunstausstellung und Taube auf einem Rockkonzert.

Viele Dichter und Denker haben versucht, Demut als Werkzeug zum Verändern der Welt zu benutzen. In Russland predigte Leo Tolstoi die Gewaltlosigkeit. Er meinte, der Kampf gegen das Böse könne nur mit Liebe gewonnen werden. Seine Bücher haben später viele Menschen in anderen Ländern gelesen und als Anweisung verstanden, unter anderem Mahatma Gandhi, den die Werke von Tolstoi zu der Idee des gewaltlosen Widerstands gegen die englische Kolonialmacht verleiteten. Hier schlug die Demut in ihr Gegenteil um. Denn was, wenn nicht Hochmut, ist jeder Versuch, die Welt nach den eigenen Vorstellungen zu ändern, sich quasi neben den Schöpfer zu stellen und zu sagen: Ich kann es besser? Wie wird jemand eingeschätzt, der in einem Theater mitten in einer Vorstellung plötzlich auf die Bühne springt und anfängt, wie ein Regisseur Anweisungen an die Schauspieler zu geben und ihnen ihre Rollen zu erklären? Als Spinner.

Gottgleich zu sein, sich maßlos zu überschätzen, sich für einen Versteher zu halten – diese Art von Eitelkeit hat nichts mit Demut zu tun. Sogar die zwei traurigen Debilen aus der Fernsehwerbung – mein Haus, mein Auto, mein Garten – zeigen mehr Demut, als Graf Tolstoi es jemals tat. Was wollen die Menschen überhaupt, was suchen sie? Es geht immer um diesen unsäglichen Traum, ein erfülltes Leben zu führen, »sich zu entwickeln«, »glücklich zu sein«. Die Tatsache, dass in einer Welt, die voller Schmerz, Trauer, Hunger und Not ist, nur Perverse, Betrüger und Dummköpfe glücklich werden können, diese Tatsache wird außer Acht gelassen.

Okay. Aber was ist denn nun wahre Demut?, könnte sich der Leser ermüdet an dieser Stelle fragen. Gibt es sie überhaupt? Natürlich gibt es sie. Der Grund zur Demut liegt in der Vergänglichkeit des Lebens. Sich mit der Vergänglichkeit abzufinden, mit der Tatsache, dass alles auf dieser Welt, jedes Staubkorn und jeder Stein, sogar das

Boot, das Haus und das Auto uns überleben und nicht einmal einrosten werden, während alle Werbeträger schon längst tot sind, dass sogar unsere Fernsehgeräte uns überleben, das zu akzeptieren ist Demut. Diese Demut zu zeigen heißt, mit seiner Zeit und seinem Ort klarzukommen, einen Kompromiss zu schließen zwischen sich und der Welt, lange und ausgiebig mit dem schweigenden Himmel über Sinn und Unsinn der Welt zu diskutieren, um am Ende sagen zu können: »Schon schön, aber vielleicht haben sie ja auch recht.«

Und Demut bedeutet auch, ständig anzugeben, mit allem, was man hat. Am besten können das Kinder. Sie erzählen auch die besten Witze über den Tod. Neulich erzählte mir mein Sonn solch einen Super-Grundschulwitz: »Eine Fliege fliegt durch das Netz einer Spinne. ›Na warte‹, ruft die Spinne ihr hinterher, ›morgen kriege ich dich!‹ ›Ha-ha! Ich bin eine Eintagsfliege!‹, summt die Fliege höhnisch und verlässt mit lautem Lachen den Luftraum.«

Deutsch Limpopo

Seit meiner Kindheit faszinieren mich Orte mit exotischen Namen. Deswegen freute ich mich, als eine Einladung zu einer Lesung nach Lemgo kam. Lemgo hörte sich exotisch an wie alle Orte mit einem »o« am Ende, wie Kongo, Toronto, Acapulco oder Limpopo. Das »o« im Namen einer geografischen Einheit steht normalerweise für Romantik und Abenteuer, so wie das »a« am Ende des Namens ein Hinweis für Ödland ist. Lemgo hörte sich richtig gut an. Ich stellte mir ein altes Städtchen am Rande eines großen Flusses vor, in dem möglicherweise noch das Matriarchat herrschte – große kräftig gebaute Frauen jagten kleine grüne Süßwasserkrokodile im Lemgoischen Busen. Abschließend stellten sie ihre Speere zu einem Grill zusammen, drehten die Reptilien über dem Feuer, aßen, tranken und tanzten.

Ich war mir ziemlich sicher, dass Lemgo irgendwo in Afrika lag, schrieb jedoch, um sicherzugehen, kurz an den Veranstalter zurück: »Sehr gerne komme ich zu Ihnen, nur wo ist Lemgo? Soll ich einen Regenschirm oder eine Sonnenbrille einpacken?«

»Grob gesagt, liegt unsere Stadt zwischen Bielefeld und

Hannover, in der ostwestfälischen Provinz«, klärte man mich auf. Und dass die Veranstalter sich freuen würden, mich einmal in ihrem »Kesselhaus« begrüßen zu können. »Leider ist unsere kleine Stadt kulturell gesehen ein ziemliches Ödland, aber wir – meine Frau und ich – haben jetzt Räumlichkeiten angemietet, um das kulturelle Leben in der Region etwas anzukurbeln.«

Es hat mich leicht irritiert, dass Lemgo nicht afrikanisch, sondern ostwestfälisch war, für einen Rückzieher war es jedoch zu spät. Zwei Wochen später löste ich eine Fahrkarte nach Bielefeld, um von da aus weiter mit der Regionalbahn nach Lemgo zu pendeln. Wie die Stadt zu ihrem exotischen Namen gekommen war, konnte ich nicht erfahren. Ich glaube, früher hieß Lemgo einfach Lemga, bis ein Beamter aus Scherz die Stadt umbenannte.

Schon im Vorfeld der Reise, als ich den Termin für die Lesung in Lemgo auf meine Internetseite setzte, bekam ich Unterstützung von Kollegen aus Berliner Kulturkreisen. Entweder kamen sie aus Lemgo, hatten einmal in der Nähe von Lemgo gewohnt, waren schon einmal in Lemgo umgestiegen, oder sie hatten jemanden aus Lemgo geheiratet. Ich erfuhr unter anderem, dass auch der letzte deutsche Bundeskanzler aus Lemgo stammte bzw. irgendwo dort um die Ecke wohnte und in Lemgo seine für das Bundeskanzlersein notwendige Ausbildung zum Einzelhandelskaufmann im dortigen Eisenwarengeschäft absolviert hatte.

Am Bahnhof angekommen rief ich die Veranstalter an, da es dort aufgrund der Größe der Stadt keine Taxis gab.

»Ich bin gleich da«, sagte der Veranstalter, und zwanzig Sekunden später hielt sein Bus vor dem Bahnhofsgebäude. Ich hatte schon früher bemerkt: Je kleiner eine Stadt, desto größere Autos fahren ihre Bewohner. Doch vielleicht brauchte mein Veranstalter den Bus tatsächlich, um etwas größere Kulturgüter zu transportieren, Rockbands oder Tanzkollektive z.B. Er war auch selbst ein großer Mann und spielte in der Stadt eine wichtige Rolle. Sein Kulturprojekt überlebte in erster Linie damit, dass er die Räume an den Wochentagen preiswert seinen Mitmenschen für private Feiern, Geburtstage und Hochzeiten vermietete. Die Restaurants in Lemgo, die einen solchen Service anboten, waren alle pleitegegangen. Sie waren zu teuer und erlaubten den Besuchern außerdem nicht, ihr mitgebrachtes Essen zu vertilgen. Die Westfalen mögen kein Schickimicki, sie stehen auf Hausmannskost. Am liebsten essen sie aus verwandter Hand, also das, was ihre Mutti, Schwester, Frau oder Geliebte gekocht hat. Deswegen gehen alle Restaurants, die vom Wurst- und Bratkartoffel-Konzept abweichen, in der Gegend ein. Aber feiern tun die Westfalen trotz ihrer kleinen Macken sehr gerne. Und diese Marktlücke hat mein Veranstalter ausgenutzt.

Den Anschluss an die Tourismusbranche hat Lemgo noch nicht wirklich gefunden. Um Touristen wird in Deutschland immer härter gekämpft, deswegen sind sie sehr anspruchsvoll und fahren nicht einfach irgendwo hin, nur um eine Kirche zu bestaunen. Sie werden von deutschen Stadtverwaltungen mit so einmaligen Skurrilitäten und Wundern angelockt wie einem ganzjährigen Weihnachtsmarkt in Rothenburg ob der Tauber, den heiligen Reliquien des Bonifatius in Fulda oder mit dem Brunnen der ewig währenden Jugend in Rostock. Die Lemgoer haben in diesem Reigen zwei Trümpfe, mit denen sie die Touristen schlagen könnten: die Hexenverbrennungen im 15./16. Jahrhundert und das berühmte Schnitzhaus der Liebe.

Bei den Hexenverbrennungen zu Beginn der Neuzeit soll Lemgo angeblich Marktführer gewesen sein. Die Wände des mittelalterlichen Holzhotels *Palais* schmücken noch immer unzählige Lithographien, auf denen ältere Männer mit Bärten nachdenklich in die Ferne schauen, während hinter ihrem Rücken die Frauen verglühen. Es musste irgendwo in der Stadt auch noch ein Hexenmuseum geben, doch es schien mir keine besonders ernstzunehmende Touristenattraktion zu sein. Den Gesetzen der Branche folgend, hätten die Lemgoer die Tradition aufnehmen und im Sommer Open-Air-Hexenverbrennungslichtspiele vor dem Rathaus veranstalten sollen. Aber dafür waren sie anscheinend nicht ehrgeizig genug. Zum Glück.

Die andere Sehenswürdigkeit der Stadt, das Schnitzhaus der Liebe, hat ebenfalls eine traurige Geschichte als Hintergrund. Laut einer Legende brannte einem Hausherrn die Frau durch. Aus Langeweile und um seinen Verlust zu kompensieren begann er, am Haus und an den Möbel herumzuschnitzen. Er schnitzte geduldig bis zu seinem Tod. Man munkelt, dass er auch den Sarg für sich selbst geschnitzt habe. Was für eine verklemmte Seele!

Nach der Lesung im Kesselhaus bekam ich meine Gage

und einige kleine Geschenke vom dankbaren Publikum: zwei Flaschen Wacholderlikör aus dem Hause Wippermann – einer Familie, die sich angeblich seit 1836 mit der Herstellung dieser Flüssigkeit beschäftigt – dazu noch eine harte westfälische Mettwurst und eine weitere Wurst aus der Region, deren Name nicht auf der Packung stand. Außerdem bekam ich einen Gedichtband eines heimischen Dichters und eine Slam-Poetry-Anthologie aus der Gegend. Ich bedankte mich artig, packte die Geschenke ein und ging los, um mein Hexenhotel *Palais* zu suchen. Ich fragte den Veranstalter nach dem Weg. Die Stadt wirkte vertraut und übersichtlich, dennoch verlief ich mich bereits nach zehn Minuten. Lemgo war finster und menschenleer. Die Straßen waren schlecht beleuchtet, und um zweiundzwanzig Uhr war nicht ein einziger Fußgänger zu sehen, den ich um Hilfe bitten konnte. Alle Fenster waren dunkel, alle Gardinen zugezogen. Nicht einmal ein Betrunkener lief mir über den Weg. Nur ein paar Autos fuhren ab und zu mit Autobahngeschwindigkeit an mir vorbei. Die Fahrer wussten, dass die Wahrscheinlichkeit, in Lemgo um diese Zeit jemanden zu überfahren, gleich null war.

Na klar, dachte ich, auf dem Bürgersteig frierend. Überall auf der Welt gehen die Männer aus, um sich in Ruhe einen hinter die Binde zu kippen, ohne Frauenkontrolle. Und die Frauen gehen aus, um auf die Männer aufzupassen und ihnen eine sichere Heimkehr zu gewährleisten. Die Lemgoer haben das mit ihren Frauen noch im 15./16. Jahrhundert geklärt. Sie müssen nicht mehr aus dem Haus. Sie saufen zu Hause, und wenn das Bier alle ist, dann schnitzen sie.

Tief in der Nacht begegnete ich doch noch einem sympathischen alten Trinker. »Holzhotel *Palais*?« Er torkelte hin und her und wippte mit der Zigarette. »Gehste geradeaus, immer geradeaus, an den Häusern entlang, nach zehn Minuten siehst du's dann auf der rechten Seite, kannste nicht verfehlen, ist ja alles eine Straße.«

Die Einverständniserklärung

Es gibt in der deutschen Sprache einige Wörter, die keine Entsprechung im Russischen finden. Zum Beispiel die Einverständniserklärung. So etwas gibt es im Russischen nicht, weil die Russen nie danach fragen, ob einer einverstanden ist. In Deutschland dagegen muss man für alles eine Einverständniserklärung haben.

Meine Tochter wurde zum Geburtstag ihrer besten Freundin Mari eingeladen. Mari wohnt in einem Häuschen, umgeben von Wäldern, Feldern und frischer Luft, weit weg von uns in einem Berliner Vorort, dort, wo man direkt aus dem Küchenfenster die echte Natur sehen kann. Es ist eine sehr nette Familie, doch Mari hat es nicht leicht. Ihre Mutter ist Lehrerin, ihr Vater Polizist. Ihr Leben ist ein ständiges Lernen und Frische-Luft-Atmen. Zum Geburtstag der Tochter beschlossen die Eltern, nicht zu Hause zu feiern, sondern mit den eingeladenen Kindern in einen Abenteuerpark zu gehen, damit die Kinder, statt zu Hause vor dem Computer herumzusitzen, etwas fürs Leben lernen und frische Luft atmen konnten.

Was kann für zwölfjährige Mädchen spannender sein, als auf einem Abenteuerparkplatz zu hocken? Das einzige Problem dabei war: Jedes Abenteuer in Deutschland braucht eine Einverständniserklärung der Abenteuerberechtigten oder derer, die für sie verantwortlich sind. Sicherheit wird hier großgeschrieben. Also bekam meine Tochter zwei Zettel von Mari ausgehändigt: eine hübsche handgeschriebene und lustig bemalte Einladung zu ihrem Geburtstag und eine maschinengetippte Einverständniserklärung für den Ausflug der Minderjährigen zum Abenteuerpark, die ich als Erziehungsberechtigter auszufüllen und zu unterschreiben hatte. Darin sollte ich versichern, dass ich meiner Tochter bei klarem Verstand und nicht unter Einfluss von Drogen und Alkohol tatsächlich die Erlaubnis gäbe, den Abenteuerpark zu besuchen, und das, obwohl ich die allgemeinen Geschäftsbedingungen gelesen und akzeptiert habe. Mir sei wohl bewusst, dass ein solcher Besuch mögliche Verletzungen, Unfälle und Sachbeschädigungen nach sich ziehen könne, aber es mache mir trotzdem nichts aus, meine Tochter diesem Risiko auszusetzen. Weiter stand da: Sollten im Abenteuerpark beim direkten Aufprall mit Abenteuern irgendwelche Minderjährige zu Schaden kommen, so habe ich das zu akzeptieren, da der Abenteuerpark dafür keine Haftung übernehme.

»Was sind denn das für Geschäftsbedingungen für den Besuch eines Geburtstages?«, regte ich mich auf. »Und was ist das für ein Abenteuer, das sich dermaßen gefährlich anhört? Was machen die Kinder in diesem Park? Springen sie vom Dach? Wer kann das verantworten?«

Die Leute drehen durch mit ihrem Sicherheitswahn.

Nach ihrer Logik müssten Hebammen alle gebärenden Frauen im Krankenhaus eine Einverständniserklärung unterschreiben lassen: Wenn es zu keinem Kind komme, übernähme sie keine Verantwortung. Und die Mutter sollte ebenfalls eine Einverständniserklärung für das zukünftige Baby verfassen: Es solle sie aus der Haftung entlassen, wenn es mit seiner Geburt unter Umständen nicht einverstanden sei. Außerdem sollte jedes Kind ebenfalls sofort nach seiner Geburt eine Einverständniserklärung abgeben – »Sehr geehrte Mitbürgerinnen und Mitbürger, wenn in meinem Leben irgendetwas schiefgeht, kann ich nichts dafür« – und die ganze Menschheit unterschreiben lassen. So wird das Zwischenmenschliche in Deutschland ein für alle Mal durch das ständige gegenseitige Einreichen von Einverständniserklärungen geregelt, und kein Erdbeben, kein Krieg und keine Finanzkrise wird uns etwas anhaben können.

»Meine liebe Tochter«, sagte ich zu Nicole. »Ich kann dir leider dieses Papier aus vielen Gründen nicht unterschreiben. Mir macht diese Bescheinigung Angst. Nein, sie sollen diesmal ohne dich in den Abenteuerpark gehen.«

»Ach, Papa«, lachte Nicole. »Das ist doch nicht so schlimm, wie es sich anhört. Du kennst die doch, die spinnen halt«, sagte sie.

Und wenn meine Tochter lacht, unterschreibe ich alles.

Flugangstattackenabwehr

Meine Frau und ich haben beide Flugangst. Dabei sitzen wir ziemlich oft in Flugzeugen. Die menschliche Zivilisation hat sich in eine solche für uns bedauernswerte Richtung entwickelt, dass man kaum irgendwohin kommt, ohne zu fliegen. Flugangst ist weniger eine Krankheit als ein Gefühl. Das Gefühl der Ohnmacht. Man fliegt nicht von allein, sondern sitzt in einer durch die Luft rasenden Maschine, die aus schwerem Metall gebaut ist. Man weiß nicht, was diese Maschine überhaupt in der Luft hält – vermutlich nur das Kerosin –, und wenn der Motor stehen bleibt, fällt sie herunter. Wir selbst haben weder Flügel noch Federung, von irgendeinem Fallschirm ganz zu schweigen. Als Passagiere sind wir Geiseln der Maschine und ihr völlig ausgeliefert. Kein Wunder, dass in Flugzeugen so viele durchdrehen. Jeden Tag kann man in den Nachrichten lesen, ein Fluggast habe in einem Flugzeug randaliert. Neulich wurde sogar ein ukrainischer Minister in Handschellen von Bord geleitet.

Alle diese Vorkommnisse verlaufen nach dem gleichen Muster. Zuerst sitzt der Passagier ruhig auf seinem Platz, liest Zeitung oder schaut gedankenlos durch das Bullauge auf die unter ihm liegenden Wolken. Plötzlich springt er auf und baut so einen Mist, dass gleich am nächsten Tag überall und in allen Einzelheiten davon zu lesen ist. Dieses Verhalten ist mit keinen Turbulenzen zu erklären. Hier ein Beispiel: Ein bekannter Geschäftsmann langweilt sich auf zehntausend Metern Höhe mit einem Sudoku-Heft. Er kommt bei einer superschweren Zahlenkombination nicht weiter und will dringend mit dem Piloten darüber reden. Als eine Stewardess sich ihm in den Weg stellt, beißt er die junge Frau in den Unterschenkel und verbarrikadiert sich auf der Toilette.

Wenn Männer im Flugzeug randalieren, beißen sie fast immer die Stewardess ins Bein. Deswegen tragen die Stewardessen auf vielen Fluglinien Strümpfe aus einem speziellen Schutzstoff, den man nicht durchbeißen kann. Wenn Frauen rebellieren, schicken sie gleich alle zum Teufel. Eine berühmte russische Schlagersängerin, die auf der Bühne herzzerreißende Liebesschnulzen zum Besten gibt, hat neulich mit ihrer Rebellion beinahe ein Flugzeug umgekippt. Zuerst beschimpfte sie lautstark alle Passagiere und forderte sie auf, sofort aus der Maschine auszusteigen. Anschließend trank sie die flüssige Seife auf der Bordtoilette und tanzte wild im Gang, bevor sie zusammenbrach.

All diese Vorfälle lassen sich leicht erklären. Russen wissen, gegen Flugangstattacken hilft nur Hochprozentiges. Cognac bekämpft sie zum Beispiel sehr gut, aber auch ein Wein tut es. Noch besser zwei. Doch wer will schon als Säufer abgestempelt werden? Es gilt als unangebracht, gar abstoßend, sich schon am frühen Morgen Hochprozentiges hinter die Binde zu kippen. Gerade bei den Russen, die seit eh und je unter dem Klischee zu leiden haben, sie wären für die Reize des Alkohols besonders anfällig.

Solche Klischees gehören abgeschafft, denken die Russen und wappnen sich für den Flug mit medizinischen Mitteln, die von Ärzten gegen Flugangst verschrieben werden. Das beliebteste davon ist Tavor, obwohl man sich unter Medizinern noch immer unsicher ist, was gefährlicher für den Patienten ist: Tavor oder Flugangst. Laut Gebrauchsanweisung soll Tavor ein Mittel zur Behandlung von Ängsten und Spannungsstörungen sein, obwohl in seinen Nebenwirkungen schwarz auf weiß das Gegenteil beschrieben wird. Dort steht, dass die Einnahme von Tavor außer den üblichen Kopfschmerzen und Durchfall auch Depressionen hervorruft, Realitätsverlust, Verhaltensstörungen, Panikattacken, Zittern und Schwitzen, Änderung des geschlechtlichen Verhaltens, sexuelle Erregung, Aggressivität, verminderten Orgasmus und Gedächtnislücken. Was soll man dazu sagen, was sich noch wünschen? Guten Flug! Es ist kein Wunder, dass Stewardessen ihre Strümpfe immer wieder nähen müssen.

Als aufgeklärte Bürger nehmen wir niemals Tavor, nur Wein und Cognac. Es hilft hervorragend. Wir haben davon Vorräte angelegt und spezielle Flugangstflaschen in der Küche und im Arbeitszimmer platziert, denn manchmal überkommt einen die Flugangst sogar zu Hause, dieses Gefühl der Ohnmacht. Man braucht nicht zu fliegen, um sie zu spüren. Es reicht schon, einmal in den Himmel zu schauen, wie die Wolken dort oben hängen. Zum Glück hat man zu Hause immer eine sichere Landung.

Die Leberwurst

Als Discjockey und Autor wurde ich nach Mannheim eingeladen, um bei den Feierlichkeiten anlässlich der Vierhundertjahrfeier der Stadt mitzuwirken. Die Stimmung in Mannheim war heiter und gelöst, jeden Tag fand irgendwo eine Lesung oder ein Konzert statt und die Straßen waren mit flanierendem Publikum voll, als wollten die Bewohner sich und der Welt sagen: Wir haben vierhundert Jahre lang geschuftet, jetzt machen wir mal eine Pause und gönnen uns ein wenig Spaß. Dementsprechend großzügig wurden die Artisten empfangen. Im Hotelzimmer warteten jede Menge Geschenke auf mich: ein Obstteller, eine Tafel weiße Schokolade, ein Reiseführer durch Mannheim und Umgebung, herausgegeben vom Mannheimer Verkehrsverein e.V., dazu eine Flasche regionaler Rotwein und eine große Dose Leberwurst, die auf dem Kopfkissen lag und mich anfänglich irritierte. Normalerweise findet man eine Praline auf dem Kissen, höchstens einen Keks. Ich habe noch nie erlebt, dass die Hotelgäste mit Leberwurst beschenkt wurden. Vielleicht war sie von einem anderen Hotelgast hier vergessen worden, überlegte ich, von einem perversen Reisenden, der durch die Welt fuhr und überall Würste aus der jeweiligen Region mit ins Bett nahm. Das Glas sah aber unverbraucht frisch aus. Ich erkundigte mich bei den anderen Kollegen, Autoren und DJs, auch sie hatten Leberwurst bekommen. Es war also tatsächlich ein Geschenk. Je länger ich darüber nachdachte, umso besser gefiel mir diese originelle Idee.

Warum eigentlich nicht?, dachte ich. Vielleicht ist Leberwurst hier eine Sehenswürdigkeit, ein Wahrzeichen der Stadt, ein Symbol, mit dem sich alle Mannheimer seit über vierhundert Jahren identifizieren. Vielleicht ist die Leberwurst so etwas wie das hiesige Wappentier. Man könnte durchaus Weisheit in der Entscheidung entdecken, sich für eine Leberwurst als Stadtwappen zu entscheiden. Die sonst üblichen Tiere, diese stolzen Geschöpfe mit Flügeln und Schwanz, die zweiköpfigen Adler, die Bären und Drachen, Löwen und Möwen starben früher oder später aus oder wurden zu Leberwurst, die richtig zubereitet und im Glas ewig haltbar blieb. Alles wurde früher oder später zu Leberwurst, wenn es nicht gleich als Leberwurst auf die Welt kam.

Mit diesem optimistischen Gedanken steckte ich die Dose in meine Reisetasche. Ich war fest entschlossen, sie nach Berlin mitzunehmen. Rotwein und Schokolade ließen mich kalt, aber die Wurst konnte ich daheim gut gebrauchen. Meine Frau hatte während der Fastenzeit kein Fleisch gegessen, was ihr erstaunlich leichtgefallen war, viel leichter, als mit dem Rauchen aufzuhören. Es war überhaupt die erste Askese, die ihr gelungen war. Aber die Fastenzeit ging vorbei, und meine Frau blieb vegetarisch, und dementsprechend kaufte sie kein Fleisch mehr ein. Ich hatte keine Zeit, einkaufen zu gehen, und musste unfreiwillig mitvegetarisieren. Als Zwangsvegetarier war ich über die Dose Leberwurst hocherfreut und malte mir genüsslich aus, wie ich sie zu Hause auf den Frühstückstisch packte, ein seltenes Wappentier in Form einer Pastete.

Meine Kollegen verließen Mannheim mit der Bahn, ich wollte jedoch fliegen. Der Flughafen Mannheim ist mikroskopisch klein, doch je kleiner ein Flughafen, desto strenger die Kontrolleure. Sie nahmen mein Handgepäck sofort vollkommen auseinander, holten das Wappentier aus der Reisetasche und meinten ganz ernsthaft, die Leberwurst dürfe nicht mit.

»Sie fliegen doch oft, Herr Kaminer, und wissen bestimmt Bescheid, dass man keine Flüssigkeiten über hundert Milliliter mit an Bord nehmen darf, nicht einmal Parfüm«, klärte mich der Sicherheitschef auf.

»Aber erlauben Sie«, empörte ich mich laut, »die Leberwurst ist doch kein Parfüm und ganz gewiss keine Flüssigkeit! Schauen Sie doch selbst, sie ist ganz fest!«

»Laut unseren Vorschriften ist Leberwurst aber Flüssigkeit«, winkte der Sicherheitschef ab.

Die Schlange hinter meinem Rücken erschrak.

»Das geht nun wirklich gar nicht!«, sagte ein molliger Geschäftsmann mit großem Koffer, der wahrscheinlich vollbeladen war mit Leberwurst.

Unzufriedenheit lag in der Luft, man konnte die revolutionäre Stimmung der Massen buchstäblich riechen. Man habe in der letzten Zeit ja viele Einschränkungen bürgerlicher Freiheiten hingenommen, meinten zwei ältere Damen unisono, man wolle den Terroristen schließlich Paroli bieten, aber bei bestimmten Sachen mache man einfach nicht mehr mit.

»Man gibt nicht einfach so sein Wappentier auf!«, mischte ich mich ein, blieb aber unverstanden.

»Was soll ich tun? Wir haben die Vorschriften nicht gemacht. Es wird alles oben entschieden.« Der Sicherheitschef zeigte mit dem Kopf Richtung Himmel, als würde er seine Befehle direkt vom lieben Gott erhalten. »Auch Schichtkäse ist Flüssigkeit!«, fuhr er fort. Die Schlange murmelte und murrte unzufrieden. »Schweineterrine zum Beispiel ist laut Vorschriften auch eine Flüssigkeit«, ließ der Sicherheitschef nicht locker. »Nutella! Katzenfutter! Marmelade …«

»Hören Sie auf!«, sagte ich. »Mir wird gleich schlecht.«

»Sollen wir Ihre Leberwurst für Sie vielleicht bis zum nächsten Mal aufbewahren?«, fragte mich seine Kollegin höflich. »Oder wollen Sie sich die Dose vielleicht selbst per Post nach Hause schicken?«

»Schmeißen Sie sie weg!«, zischte ich und packte meine restlichen Sachen wieder in die Tasche. »Wenn Leberwurst eine Flüssigkeit ist, dann will ich sie auch nicht haben«, sagte ich und ging an Bord.

Deutscher Frühling

Der Frühling beginnt in Deutschland unauffällig. Die Luft wird etwas wärmer, die Bäume etwas grüner, das Radio klärt die Allergiker über mögliche bevorstehende Gefahren auf, die Menschen sitzen vor den Kneipen, tragen aber trotzdem weiterhin Winterkleidung für alle Fälle, und ehe sie sich von ihren Mänteln befreien, ist der Frühling auch schon wieder vorbei.

Früher in Moskau haben meine Nachbarn zu Beginn des Frühlings immer einen Subbotnik auf dem Hof angekündigt, einen sogenannten freiwilligen Arbeitseinsatz. Ein paar Bewohner unseres Hauses versammelten sich dann mit Harken und Besen draußen auf dem Hof und tratschten stundenlang. Nicht alle Nachbarn verfügten über ausreichend Enthusiasmus, um sich an diesem freiwilligen Arbeitseinsatz zu beteiligen. Jahr für Jahr waren es immer die Gleichen, die sich versammelten, Leute, die sonst nichts zu tun hatten – eine mollige Frau mit großem Hut, eine junge alleinerziehende Mutter, ein komischer Mann mit dicker Brille, ein lebenslänglich Krankgeschriebener aus dem ersten Stock und ein kleiner Alter, der das ganze Jahr über eine halb volle Bierflasche vor dem Bauch hielt.

Ausgerechnet dieses Kollektiv der Freiwilligen trug den Wintermüll auf unserem Hof zu einem Müllberg zusammen. Anschließend zündeten sie ihn vor dem Haus zusammen mit dem Gras an, das den ganzen Winter unter dem Schnee begraben und nun in der Sonne ausgetrocknet war. Das Gras verbrannte sehr schnell und hinterließ große schwarze Brandflächen, die den unvergesslichen Geruch des Frühlings verbreiteten. Das war nicht nur bei uns auf dem Hof so, es brannte überall in Moskau, wenn der Frühling kam. Die halbe Stadt wurde zu einem Lagerfeuerplatz. Die Stadtbewohner versammelten sich um das Feuer, grillten Schwarzbrot, vergruben Kartoffeln unter der glühenden Kohle und freuten sich wie die Kinder über das brennende Gras, den Müll und die Qualmwolken, die den Himmel bedeckten. Sie hätten bestimmt gerne noch mehr abgefackelt – alles, was sie in dem langen Winter an Mehrwert geschaffen hatten und was ihnen sowieso nicht nützte. All das hätten sie gerne verbrannt und das Leben von vorne begonnen. Das war aber leider im entwickelten Sozialismus nicht möglich.

Ich glaube, früher haben Russen im Frühjahr tatsächlich ihr ganzes Hab und Gut abgefackelt, um keine Steuern an den Zaren und keine Gebühren an die Tataren zahlen zu müssen. Aus dem gleichen Grund hat sie auch die fehlende Infrastruktur ihres Landes nie gestört. Sie wussten schon immer: Auf besseren Autobahnen kommt bloß die Finanzkrise angefahren. Hinter den schlechten Straßen fühlten sie sich dagegen für ihre Feinde unerreichbar und vor allen Übeln der Welt gut geschützt. Keine Krise, kein Krieg, kein Steuereintreiber kam hier durch, sie würden in den bodenlosen Pfützen des russischen Frühlings untergehen. So hoffte jedenfalls insgeheim das Volk.

Russen bewegen sich aber auch sowieso nicht gerne. Am liebsten sitzen sie zu Hause in der Küche oder bei der Arbeit oder einfach auf einer Parkbank. Wenn Amerikaner in ihrer Freizeit am liebsten mit dem Fahrrad in den Bergen schwitzen, Österreicher auf einer Skipiste und die Deutschen wandernd im Wald, schwitzt der Russe am liebsten in der Sauna. Dort sitzt er und sitzt und sitzt, und ihm wird nie schlecht. Es bedarf großer Ausdauer und Geduld, um diesen speziellen Saunasport zu betreiben. Einen Amerikaner würde eine solche Sportart wahrscheinlich auf die Palme bringen. Man sitzt einfach so da, quält sich stundenlang, und nichts passiert. Eine grausame ineffektive Zeitverschwendung!, würde der Amerikaner denken. Man lernt nichts, man trainiert nichts, man schwitzt nur sinnlos vor sich hin.

Die Sauna ist ein Ort, der die Neuentwicklung, die Teilung der Menschheit in effiziente und ineffiziente Menschen bildhaft sichtbar macht. Die Ineffizienten gehören der Vergangenheit an, die Effizienten sind aus dem Turbokapitalismus hervorgekommen und stellen nun eine neue Stufe auf der Treppe der menschlichen Entwicklung dar. Sie begreifen das Leben als Arbeitsauftrag und bewältigen ihn möglichst optimal mit Hilfe eines ausgeklügelten Zeitmanagements. Wenn die Ineffizienten früher ihre Lebenszeit für Belanglosigkeiten aller Art verschwendeten, so werden sie heute von den Effizienten gemanagt, damit keine Sekunde dem Feind zufällt, denn jede schlecht gemanagte Sekunde ist ein Trumpf in den Händen der Konkurrenz.

Im Westen werden jährlich jede Menge Bücher zum Thema Zeitmanagement veröffentlicht. In ihnen wird unmissverständlich erklärt, was man tun muss, wie sich bewegen, wie handeln, um seine Lebenszeit maximal zu optimieren, damit nichts für Belanglosigkeiten verschwendet wird. Die Ineffizienten haben viel Freizeit, sie sind immobil, lassen sich in den Kneipen, in den Raucherecken nieder, liegen bei gutem Wetter im Gras und schnarchen mit einem dicken Buch unter dem Kopf oder sitzen auf einer Bank und üben Gitarrespielen. Zu Hause sitzen sie ebenfalls – neben dem Kühlschrank oder vor dem Fernseher. Die Effizienten dagegen sind immer in Bewegung, sie fahren, sie fliegen, sie schwimmen und laufen.

Dementsprechend können die beiden Gruppen nirgends aufeinandertreffen, sie begegnen einander nie. Nur an einem Ort können sich die beiden Entwicklungsstufen direkt in die Augen sehen: Es ist erstaunlicherweise das Stadion. Der Effiziente geht nämlich zum Joggen am liebsten in ein Stadion, um dort im Kreis zu laufen. Auf diese Weise kann er seine Leistung anhand der bewältigten Anzahl von Kreisen und den dabei verbrannten Kalorien optimal ausrechnen. Auch seine Lebenskraft lässt sich im Stadion leicht ausrechnen: Masse mal Geschwindigkeit. Der Ineffiziente wird vom Staat zu gemeinnütziger Arbeit im Stadion verdonnert. Er soll dort das Gras mähen und das Laub vor den Laufbahnen wegfegen, damit die Effizienten nicht aus Versehen ausrutschen.

Die Ineffizienten halten diesen Subbotnik für sauanstrengend, das steht in ihren Gesichtern geschrieben. Außerdem haben sie Angst, von den effizienten Joggern niedergetrampelt zu werden. Als höfliche und geduldige Menschen, die Zeit haben, warten sie daher in sicherer Entfernung von der Laufbahn, bis alle Effizienten vorbeigezogen sind. Erst dann trauen sie sich, die Laufbahn mit ihrem Werkzeug zu überqueren. Sie haben alle Hände voll und gehen mit dem Besen in der einen Hand, dem Eimer in der anderen, der Zigarette in der dritten, dem Bier in der vierten, dem Rucksack in der fünften, dem Feuerzeug, das sie auch als Flaschenöffner geschickt benutzen, in der sechsten und der Hand des Kollegen in der siebten. Sie halten sich in dieser schwierigen Situation aneinander fest. In der Regel schaffen sie es gerade mal bis zur Hälfte, denn die Jogger laufen, wie gesagt, im Kreis und sind schnell wieder da. Die Ineffizienten wissen nicht, was tun. Sie stehen den rennenden Massen von neuen Menschen im Weg und überlegen, ob sie sich zurückziehen oder doch vorwärtswagen sollen? Für alle Fälle bleiben sie auf der Bahn erst einmal stehen, wodurch die Jogger ins Stocken geraten und die ganze Geschichte der menschlichen Entwicklung auf einmal für kurze Zeit stillsteht. Doch schnell klärt sich die Lage. Die Effizienten laufen weiter, die Ineffizienten flüchten sich zu ihrem Werkzeughäuschen und versteinern dort unter dem Dach.

Es sind Menschen, die meinen Moskauer Nachbarn aus der sozialistischen Vergangenheit erstaunlich ähneln, denjenigen, die sich damals mit Beginn des Frühlings zum

Subbotnik auf dem Hof versammelten. Ich könnte wetten, es sind dieselben: die mollige Frau mit dem großen Hut, die junge alleinerziehende Mutter, der komische Mann mit der dicken Brille, der lebenslänglich Krankgeschriebene aus dem ersten Stock und der kleine Alte, der das ganze Jahr über eine halb volle Bierflasche vor dem Bauch hält.

Prinz Charles

Vor einiger Zeit erhielt ich eine Einladung ins Schloss des Bundespräsidenten, um mit dem Prinzen von Wales und der Herzogin von Cornwall zu Mittag zu essen. Das war für mich ein neues Pflaster, bis dahin kannte ich Prinzen nur aus sowjetischen Zeichentrickfilmen, unter denen es viele Märchenverfilmungen gab. Prinzen glichen damals in meiner Phantasie den Weihnachtsmännern, an die ich schon lange nicht mehr glaubte. Mit einem echten Prinzen an einem Tisch zu sitzen, das war für mich wie den echten Weihnachtsmann am Bart zupfen – als wäre ich in einem Zeichentrickfilm gelandet.

Meine Frau war von der Einladung mehr als begeistert. Wie so viele Frauen interessiert sie sich sehr für Prinzen und wollte unbedingt mitkommen. Leider stand auf der Einladung unmissverständlich, der Eingeladene dürfe nur allein zum Essen kommen. Als Adresse war das Schloss Bellevue angegeben und eine dazugehörige Telefonnummer. Ich telefonierte mit dem Schloss und versuchte es zu überreden, meine Frau mit einzuladen, denn eigentlich sei es doch Frauensache, sich mit Prinzen zu unterhalten. Außerdem sei der Prinz genau wie meine Frau ein großer

Gartenfan, sie hätten einander viel zu erzählen. Und worüber sollte ich mit dem Prinzen reden? Männer stehen traditionell mehr auf Prinzessinnen, die sie zum Beispiel vor wilden Tieren retten oder sogar vor Drachen schützen.

Das Schloss erklärte mir am Telefon, dass es ein Essen für sechsundzwanzig Personen geben werde, und alle kämen ohne Begleitung, denn wenn sie alle mit Begleitung kämen, wären es nur dreizehn Personen und dazu noch einmal dreizehn Begleitungen. Ich fand diese Rechnung ziemlich spießig, beugte mich aber dem Willen des Gastgebers. Eine ganze Woche gab ich damit an, demnächst mit dem Prinzen essen zu gehen, und musste mir jedes Mal die gleichen Ratschläge und Warnungen anhören.

»Du darfst den Prinzen auf keinen Fall umarmen, du darfst ihm nicht auf die Schulter hauen und ihn nicht ans Herz drücken«, klärte mich meine Frau auf. Das sei laut Etikette nur Mitgliedern des Königshauses erlaubt.

Am verabredeten Tag versprach ich ihr, den Prinzen nicht zu drücken, zog mir den schicksten Anzug an und fuhr mit dem Taxi zum Schloss. Meine Frau ging in den Garten Blumen gießen. Am Schloss vor dem großen Tor wartete eine Menge von Interessierten, die wahrscheinlich zu wenig Zeichentrickfilme in ihrer Kindheit gesehen hatten und nun vom Prinzen träumten. Auch viele Fotografen mit großen Fotoapparaten waren anwesend, sie lauerten im Garten neben dem Teich. Der Prinz war nicht aus Spaß nach Deutschland gekommen, sondern in geschäftlicher Mission. Ihm wurde die sogenannte deutsche Nachhaltigkeitsmedaille verliehen für seine besonders hartnäckige Nachhaltigkeit in Sachen ökologischer Gartenbau. In anderen Lebensbereichen, zum Beispiel in den Beziehungen zu Frauen, hatte der Prinz bisher nicht besonders nachhaltig agiert. Doch was ist schon Nachhaltigkeit? Ein komisches Wort. Eine richtige Nachhaltigkeitsmedaille müsste eigentlich jedes Jahr zur selben Zeit an dieselbe Person verliehen werden, mit abschließendem Essen am selben Tisch mit denselben Speisen und selben Gästen, bis alle vor Altersschwäche unter den Tisch fallen. Nur das wäre in meinen Augen echte Nachhaltigkeit.

Der Prinz hatte sich auf dem Gebiet des ökologischen Gartenbaus große Verdienste erworben. Er liebte die Gartenarbeit nicht weniger als meine Frau und hatte bereits halb England in einen Schrebergarten verwandelt. Als wir in einer deutschen Schrebergartenkolonie eine Parzelle ergattert hatten, hatte meine Frau sogar zur Vorbereitung auf das kommende Gartenjahr ein Gartenbuch von Prinz Charles gelesen. Es war ein lustiges Buch, von Herzen geschrieben. »Eines Tages«, so berichtete der Prinz darin, »haben wir Unkraut entdeckt. Die beste Methode zur Bekämpfung von Unkraut besteht darin, vierzig Tonnen Kies daraufzuschütten.« Wir lachten über diese englischen Methoden. Auf unserem zweihundertvierzehn Quadratmeter großen Schrebergarten konnte man natürlich nicht alle Ratschläge des Prinzen befolgen.

Die Gäste versammelten sich im Vorzimmer. Sie alle hatten entweder etwas mit deutschen Gärten oder mit der deutschen Kultur oder mit beidem, also mit Gartenkultur, zu tun. Der Prinz und die Herzogin betraten als Letzte den Saal und schüttelten allen Anwesenden die Hand. Der Prinz hatte die Hände eines Gärtners. Bei der Begrüßungszeremonie stellten sich die Gäste dem Prinzenpaar vor. Ich hatte Englisch in der Schule und später am Institut gelernt, doch durch das darauffolgende anstrengende Erlernen der deutschen Sprache habe ich mein Englisch erfolgreich vergessen. Außerdem hatte ich Zweifel, dass das sogenannte russische Englisch, das uns an den sowjetischen Schulen beigebracht wurde, mit dem real existierenden englischen Englisch übereinstimmen würde. Ich sammelte die Reste dieser Fremdsprache zusammen und stellte mich als »a nice garden-writer with joke« vor. Der Prinz und die Herzogin nickten verständnisvoll.

Danach aßen wir zusammen marinierten Kabeljau und Lammrücken mit Spargel, zum Dessert gab es Eis. Aus der anregenden Diskussion über ökologischen Gartenbau habe ich mich wegen meiner mangelnden Sprachkenntnisse so weit wie möglich herausgehalten. Ich wollte mich nicht blamieren. Meine Frau saß währenddessen im Garten und wartete, bis es fünfzehn Uhr sein würde. Denn erst ab fünfzehn Uhr darf man bei uns in der Gartenkolonie den Rasen mähen. Sie begoss so lange alle Pflanzen und Bäume.

Nach dem Dessert fuhr der Prinz nach Potsdam, um die dortigen Gärten zu besuchen, und ich fuhr nach Hause und erzählte allen Familienmitgliedern, wie der Prinz und ich uns gegenseitig auf die Schulter geklopft und Witze erzählt hatten. Danach gingen wir in einer kleinen russischen Runde essen – zum Vietnamesen um die Ecke.

In einem unbekannten Land

Auch zwanzig Jahre nach der Wiedervereinigung haben alle fünfhundert umsatzstärksten Unternehmen ihren Hauptsitz in den westdeutschen Ballungsräumen und denken nicht an einen Umzug in den Osten. Das hat historische Gründe. Natürlich waren westliche Geschäftsmänner ihren Kollegen im Osten überlegen. Haben sie doch jahrzehntelang Überlebenserfahrungen auf dem freien kapitalistischen Markt gesammelt, während in der sozialistischen Planwirtschaft der DDR übermäßige Geschäftstüchtigkeit als Verbrechen gegen den Staat eingestuft wurde und wirtschaftlicher Erfolg an Betrug grenzte. Der Mangel an Erfahrung trug dazu bei, dass viele frischgebackene ostdeutsche Geschäftsmänner gleich nach der Wende sehr naiv, ja blauäugig mit dem Kapitalismus flirteten. Sie tauschten Grundstücke gegen Autos, kauften Aktien von Unternehmen, die gar nicht existierten, Devisen von Ländern, die es nicht mehr gab, nahmen Kredite auf, die sie in den Ruin trieben, und ließen sich von den »Besserwessis« übers Ohren hauen wie einst die Eingeborenen von Kapitän Cook.

Nachdem die Business-Haie in Ausbildung sich mehrmals die Finger verbrannt hatten, nahm ihre anfängliche Begeisterung für Geschäfte mit Kapitän Cook rapide ab. Aber auch dieser verlor mit der Zeit sein Interesse an Ostdeutschland, denn dort war nichts mehr zu holen. »Kommt wieder, wenn ihr Geld habt«, sagte er und wandte sich China zu. Der ostdeutsche Adventure-Kapitalist schaute dagegen interessiert nach Osten. Dort, in den ehemaligen sozialistischen Ländern, lebten Geschäftsleute, die noch unerfahrener waren als er selbst. Schon Anfang der Neunziger hatte der Ostdeutsche gern Handel mit der sowjetischen Armee getrieben, als diese noch in Deutschland stationiert war. Die Ostdeutschen verkauften dort ihre gebrauchten sowjetischen Fahrzeuge, Wolgas und Ladas an die Offiziere, weil sie selbst inzwischen alle gebrauchte Kadetts und Golfs fuhren, die sie von Kapitän Cook für ihre Grundstücke aufgetischt bekommen hatten. Es machte Spaß, mit den Russen Geschäfte zu machen, sie waren für alles dankbare Abnehmer. All die Ost-Autos, die in der Konkurrenz mit westlichen Modellen völlig untergingen und bei Deutschen inzwischen nur noch Ekelgefühle hervorriefen, waren bei Armeeangehörigen sehr begehrt. Gleichzeitig hatten ostdeutsche Geschäftsmänner den Russen unverzollten Wodka und Zigaretten sowie Generatoren, Benzin, Radio- und Nachtsicht-Geräte abgekauft. Je nach Waffengattung gibt es bei einer guten Armee immer etwas zu holen.

Die angehenden ostdeutschen Geschäftsmänner hatten auf diese Weise viele interessante Menschen kennengelernt und zukunftstaugliche Geschäftsideen entwickelt. Als die russischen Offiziere nach Abzug der sowjetischen Armee entlassen wurden, bekamen sie eine bescheidene Rente, kleine Wohnungen in einer der vielen kleinen Städte Russlands und gründeten kleine Firmen, wie es in der Zeit alle taten. Der ostdeutsche Geschäftsmann dachte, was juckt mich eigentlich der Westen? Mich, mit meinen hervorragenden Russischkenntnissen, mit meiner Kenntnis der Sitten und Bräuche in den ehemals sozialistischen Ländern! Ich kann doch in Russland schweinereich werden. Er fuhr deswegen in die kleinen russischen Städte und besuchte seine ehemaligen Geschäftspartner, die sich natürlich riesig freuten. Hallo, Reiner, sagten die Russen, wie gut, dass du hier bist! Wir haben gerade eine ganz tolle Geschäftsidee!

In der Regel wurden diese Geschäfte alle auf die gleiche Art abgewickelt: Der Deutsche kaufte dem Russen irgendetwas Exotisches ab, mit der Absicht, es später in Westdeutschland für teures Geld zu verkaufen. In der Regel endeten diese Geschäfte im Nichts, weil dieses Etwas entweder nicht durch den Zoll kam oder sich als etwas ganz anderes entpuppte oder unterwegs abgehauen oder explodiert war. Der ostdeutsche Geschäftsmann war um sein Geld gebracht, im schlimmsten Fall landete er in einem russischen Knast und harrte dort aus, bis der westdeutsche Botschafter kam. Doch der Adventure-Kapitalist in ihm gab nicht so einfach auf. Im Knast knüpfte er neue Kontakte, lernte noch interessantere Menschen kennen und entwickelte dabei sogleich vielversprechende neue Geschäftsideen.

Mit der Zeit lernte der Deutsche, Geschäfte mit den Russen zu machen, ohne seine Heimat zu verlassen. Ich erinnere mich an einen herausragenden Fall, an dem ich Mitte der Neunzigerjahre als Dolmetscher beteiligt war. Ein deutscher Händler aus Halle hatte seinem weißrussischen Kollegen aus Gomel eine Ladung Buntmetall in Form von zehn Kilometern altem Telefonkabel abgekauft, um es später an einen westdeutschen Metallkonzern weiterzuverkaufen. Das Geld wurde überwiesen, der Vertrag unterschrieben, und die erste Teillieferung kam in Frankfurt/Oder an. Danach ging der russische Partner allerdings nicht mehr ans Telefon. Der Ostdeutsche machte sich Sorgen: Vielleicht war der Russe in Not? Mit großer Mühe fanden wir schließlich heraus, dass mit dem Kollegen alles in Ordnung war. Er hatte eben nur das Telefonkabel seiner Heimatstadt mit den Baggern seiner Baufirma ausgegraben, nach Deutschland verkauft und konnte deswegen nicht mehr telefonieren.

An solchen Pannen scheiterten letztendlich die geschäftlichen Beziehungen der deutschen Adventure-Kapitalisten zu den ehemaligen sozialistischen Ländern. Heute wird der Handel fast hauptsächlich von halbstaatlichen Großkonzernen betrieben. Der Chef von Gazprom sagte es einmal so: »Bei uns in Russland kann man nicht einfach alles privatisieren, sonst ist es am Ende wie bei einem Kartenspiel: Die Spieler sind weg – und die Karten auch!« Nur ganz wenige rücksichtslose russische Kleinhändler versuchen, diese Mauer immer wieder zu durchbrechen. In der Regel versuchen sie, ihre westlichen Nachbarn mit seltener Ware zu beeindrucken. Mal bringen sie ein paar Dutzend handgemachte Holzpuppen mit, mal eine große Büchse Kaviar, gelegentlich schleppen sie auch angereichertes Plutonium oder andere seltene Elemente, die es nach westlichen Tabellen gar nicht gibt, über die Grenze. Doch wer interessiert sich schon für Plutonium? Nur Menschen mit viel Geld und Phantasie, es gibt hier aber nicht viele von dieser Sorte. Die Russen bleiben jedoch optimistisch und entwickeln immer neue Geschäftsideen.

Neulich rief mich ein alter Bekannter an und fragte, ob ich einen Bienenzüchter in Berlin kenne. Sein Bruder habe es geschafft, eine sehr seltene Biene aus Sibirien hierherzutransportieren. Diese Biene sei besonders robust, mache Honig aus jedem Scheiß und könne sich sogar unter Wasser vermehren. Außerdem habe sie einen extradicken Pelz, der sie gegen die Kälte schütze. Eine Winterbiene also, teuer und äußerst gefragt. Seit zwei Wochen wohne sie in einem Plastikbehälter bei ihm in der Küche und werde von seinem Bruder täglich mit frischen Blumen gefüttert.

»Ich kann die beiden nicht mehr sehen, bitte finde einen Bienenzüchter, damit dieses Insekt endlich aus meiner Wohnung verschwindet!«, bat mich der Bekannte am Telefon. Seine Stimme klang verzweifelt.

Mich erinnerte diese Geschichte an den alten Zeichentrickfilm über die lustige Biene Maja:

»In einem unbekannten Land, parapapa, parapapa, war eine Biene sehr bekannt, parapapa, parapapa ...«

Nur leider kannte ich keinen einzigen Bienenzüchter in

Berlin und vermutete sogar, dass man im zivilisierten Europa den Honig schon längst ohne Bienen, d.h. irgendwie automatisch aus Gummibärchen mache. Also empfahl ich meinem Freund, eine Annonce aufzugeben, unter der Rubrik »Haustiere«. Er sollte natürlich nicht »Lustige Biene aus Sibirien« schreiben, sondern sie neutral als seltenen Vogel aus der Karibik anpreisen. Er nahm meinen Ratschlag misstrauisch an. Ein Monat später traf ich ihn auf der Straße und klopfte ihm auf die Schulter.

»Wie geht's deinem Bruder?«, fragte ich ihn.

»Welchem Bruder? Ach dem! Mit dem will ich nichts mehr zu tun haben. Der ist schon längst wieder nach Hause gefahren«, murmelte mein Bekannter.

»Und was ist mit der Biene, habt ihr sie verkauft?«

»Nein, es war ein schrecklicher Unfall. Ich habe aus Versehen die Fenster offen gelassen, und ihr Plastikbecher war wahrscheinlich nicht richtig dicht, oder die Katze hat sie aufgefressen, weiß der Teufel, wie das passiert ist, aber auf jeden Fall war sie eines Tages einfach nicht mehr da! Am liebsten möchte ich die Geschichte so schnell wie möglich vergessen.«

Ich war mir absolut sicher, dass mein Bekannter eine entscheidende Rolle im Leben der Biene gespielt hatte. Wahrscheinlich warf er sie eigenhändig aus dem Fenster, während sein Bruder schlief. Sie wird aber, denke ich, in Berlin nicht verloren gehen. Mit ihrem dicken Pelz hat diese sibirische Biene Maja hier nichts zu befürchten. Sie wird ein paar Runden über dem unbekannten Land drehen, parapapa, parapapa, sich dann vielleicht in Charlottenburg niederlassen, parapapa, parapapa, eine preußische Hummel kennenlernen, parapapa, parapapa, Nachkommen produzieren, parapapa, parapapa, und aus allen Berliner Linden und Kastanien Honig machen. Und wenn die Stadt irgendwann einmal voller Honig ist, dann kommen vielleicht eines Tages auch noch die sibirischen Bären nach Berlin.

Am Abgrund

Von Naturkatastrophen ist Deutschland bis jetzt im Großen und Ganzen verschont geblieben, abgesehen von jährlichen Überschwemmungen, die in manchen, nahe an einem See gelegenen Städten, regelmäßig für Badespaß in der Küche sorgen. Dafür aber hat Deutschland genügend soziale Katastrophen erlebt. Mehrmals ist das Land aus Trümmern wiederauferstanden. Die Deutschen sind ein traumatisiertes Volk, das immer wieder am Abgrund stand, sie wissen: Man kann nie vorsichtig genug sein. Darum haben sie ein enorm starkes Bedürfnis nach Sicherheit und schließen viele Versicherungen ab, von deren Existenz andere Völker der Welt nicht einmal annähernd eine Ahnung haben.

Doch Angst kann man anscheinend nicht mit Versicherungspolicen heilen. Mein Nachbar beispielsweise ist die Vorsicht in Person. Nach mehreren Tagen Dauerfernsehen hat er eine panische Angst vor Tsunamis entwickelt. Auf meine Versuche, ihn mit dem Hinweis zu beruhigen, eine solche Welle sei in Berlin unwahrscheinlich, weil es in der Spree zu wenig Wasser dafür gäbe, außerdem bleibe dann immer noch die Möglichkeit, sich im Fall der Fälle an den Fernsehturm zu ketten, meinte er nur, man müsse immer auch mit dem Unwahrscheinlichen rechnen. Es würde mich nicht wundern, wenn er mit Flossen und Schnorchel schlafen ginge.

Nachdem ein Erdbeben in Japan ein Atomkraftwerk beschädigte, trieb mein Nachbar irgendwo einen alten Geigerzähler auf und maß, aus bloßem Interesse, wie er meinte, an mehreren Stellen bei uns im Haus die Radioaktivität. Sie war tatsächlich unnatürlich hoch, an manchen Stellen sogar höher als in Japan. Eine mögliche Erklärung dafür wäre, dass der Geigerzähler kaputt oder falsch eingestellt war. Eine andere Erklärung halte ich persönlich für ebenso denkbar – dass man immer genau die Situation schafft, vor der man am meisten Angst hat. So hat mein Nachbar aus Angst vor möglicher Radioaktivität selbst angefangen zu strahlen. Und während man mit dem schlimmsten Unwahrscheinlichen rechnet, passiert wahrscheinlich etwas noch viel schlimmeres Wahrscheinliches.

Eine Nachricht aus dem Nordkaukasus bestätigte mir kürzlich diese pessimistische Weltsicht. Ein Agrarbetrieb in Südrussland meldete, eine Schafherde sei von Wölfen angegriffen und vollständig getötet worden. Die angriffslustigen Wölfe sind dort in der Gegend neu, man munkelt, sie würden, wie alles Gefährliche in der letzten Zeit, aus Tschetschenien kommen. Dort wurden sie aus ihrem natürlichen Lebensraum vertrieben, wo sie seit Jahrhunderten weiße Hasen gejagt hatten. Aber nun soll in dieser Gegend ein großer Kurort mit mehreren Sanatorien für übermüdete Staatsbeamte entstehen. Die Wölfe, von

Bauarbeiten zunehmend terrorisiert, mussten ihre Heimat verlassen und siedeln sich nun bevorzugt in der Nachbarschaft von Tierfarmen an. Besonders die Nähe zu Schafen scheint sie zu beruhigen, schließlich schafft sie eine neue Lebensperspektive.

Die Meldung über das tragische Schicksal der Herde beschäftigte die für die Tiere zuständige Behörde sehr. Natürlich waren es nicht die ersten Tiere, die den Farmern auf diese unschöne Weise verloren gegangen waren. Es passierte immer wieder, dass ein Wolf eine Herde angriff und mal das eine oder andere Schaf dran glauben musste – aber doch nicht gleich eine ganze Herde! Für die Experten war es unvorstellbar, dass die Wölfe dreihundert Schafe auf einmal getötet hatten. Man bezichtigte den Hirten der Mittäterschaft. Er schwor bei Gott, keinem einzigen Schaf je etwas zuleide getan zu haben, außerdem sei er seit zwölf Jahren Vegetarier. Es wurde eine Kommission gebildet, um Licht in diesen Vorfall zu bringen. Einige erfahrene Schafkenner machten sich auf den Weg, um sich vor Ort ein Bild von der Katastrophe zu machen. Sie stellten fest, dass nur drei Schafe von Wölfen angegriffen worden waren, die restlichen 297 waren aus Angst, von den Wölfen getötet zu werden, in einen Abgrund gestürzt. In rasender Geschwindigkeit hatte Panik die komplette Herde erfasst. Doch warum weideten die Schafe überhaupt an einem solch gefährlichen Ort, am Rande einer vierzig Meter tiefen Schlucht?, fragten sich die Experten. Die Schafe waren ebenfalls wie die Wölfe aus ihrem bisherigen Lebensraum vertrieben worden – von einer Militäreinheit, die sich dort einen Schießübungsplatz gebaut hatte. Die Armee sei an allem schuld, meinten die Experten. »Wir doch nicht!«, verteidigten sich die Offiziere. »Irgendwo müssen die Soldaten doch schießen lernen. Wir wurden schließlich auch vertrieben, unsere natürlichen Lebensräume wurden uns entzogen. Da, wo wir früher geschossen haben, dürfen wir nicht mehr schießen, weil sich in der Nähe jetzt ein Kurort für besonders übermüdete Beamte befindet.«

So schließt sich der Kreis. Er ist wie alles im Leben eine Sackgasse, und niemand weiß, wie man dieses Dilemma lösen kann. Die Wölfe hungern, die Schafe sind tot, und die Soldaten können nicht richtig schießen. Was lehrt uns diese Geschichte? Eigentlich nichts. Nur dass man besser ruhig bleiben sollte, wenn man schon am Abgrund weidet.

Deutsche Möbel

Mein letzter Trip nach Moskau war sehr kurz, er dauerte nur zwei Tage. Statt russische Buchhandlungen nach neuer ansprechender Literatur zu durchstöbern, verbrachte ich beide Tage in Gesellschaft meiner ehemaligen Mitschüler aus jener Schule 701, die schon in den Siebzigerjahren des vorigen Jahrhunderts, als wir sie besuchten, »Dummenschule« hieß – ein Name, dem ehemalige Mitschüler bei ihren Treffen immer wieder Ehre machten. Intellektuelle Unterhaltung war bei ihnen daher nicht zu erwarten. In unserem Fall stand der Besuch einer Striptease-Bar und eines Antiquitätengeschäfts, das mit deutschen Möbeln vollgestellt war, auf dem Programm. Zwei meiner ehemaligen Mitschüler waren wie ich freischaffend – »selbststehend«, wie es auf Russisch hieß. Der eine verdiente sein Brot als Antiquitätenhändler, der andere war ein Kalinka-Tänzer, der mit verschiedenen Volkstanzkollektiven zusammenarbeitete. Im Sozialismus hatten die beiden, nachdem sie mit der Dummenschule fertig waren, an der Uni Quantenphysik studiert. Aber Quantenphysik war in der Folgezeit nicht mehr gefragt.

Zu dritt spazieren zu gehen, war eigentlich keine kluge

Sache, man kennt dafür genug Beispiele aus der Literatur: drei Kameraden, drei Musketiere, drei kleine Schweinchen – alles Deppen. Der Antiquitätenhändler gab für uns den Stadtführer, ich den ausländischen Gast. Der Profitänzer war für die Getränke zuständig.

»Ich zeige dir ein Stück Deutschland, das du nicht kennst«, versprach mir unser Stadtführer, als hätte ich zu wenig davon gesehen. Er brachte uns in ein Antiquitätengeschäft am Frunsenskaja-Ufer, das voller deutscher Möbel war – Kriegstrophäen, in Deutschland auch »Beutekunst« genannt, die nach dem sowjetischen Sieg 1945 aus Deutschland abgeschleppt und dann lange in Moskauer Wohnungen entnazifiziert worden waren. Die Möbel waren hässlich, aber sehr robust und kindersicher. Schwere dunkle Schrankwände, riesige Küchenschränke, breite tiefe Sessel, ganze Regale voller Bücher mit soliden Einbänden, die mit unverständlichen, lockigen Buchstaben bedruckt waren. Niedliche Bilder in dicken Rahmen.

Erstaunlich, dass all diese Möbel nicht kaputtgegangen und auch nicht von sowjetischen Holzkäfern zerfressen worden waren, sondern so lange gehalten und erst im 21. Jahrhundert den Weg in die Antiquitätenläden gefunden hatten. Andererseits hatten die Kriegstrophäen im Sozialismus kaum Konkurrenz, die sowjetischen Möbel waren nämlich noch hässlicher. Und so standen sie ewig in den Wohnungen herum. Zuerst überlebten die deutschen Schränke jene Generation, die sie beschafft hatte, dann die Generation ihrer Söhne und Töchter, die in großer Angst vor Verarmung und Not lebte und deswegen nichts wegschmeißen konnte. Erst die Enkelkinder der Kriegsveteranen trauten sich nach der Perestroika, etwas Neues anzuschaffen. Ikea-Möbel zum Beispiel, die in Russland sehr geschätzt werden. Die deutschen Möbel landeten daraufhin beim Antiquitätenhändler, wo sie nun vergeblich auf deutsche Touristen warten. Ich schaute mir die Tische und Schränke aus schwerem Holz an, sie waren für die Ewigkeit gebaut. Aber wer braucht ewige Möbel, wo wir doch alle nicht mithalten können und so schnell kaputtgehen?

Abends landeten wir auf Vorschlag desselben Stadtführers in der Striptease-Bar *Weißbär*, einem berühmten Treffpunkt der Moskauer Kapitalisten. Mindestens zwanzig Mädchen tanzten gleichzeitig auf den kleinen Bühnen, jede Frau drehte sich um ihre eigene Stange. Sie tanzten sehr professionell, wie der Kalinka-Profitänzer uns sofort bestätigte. Gegen eine Extragebühr konnte man die Mädchen zu sich auf die Bank einladen und mit ihnen etwas trinken. Das war's dann aber schon. Weitere sexuelle Handlungen waren in der Striptease-Bar *Weißbär* nicht vorgesehen.

Unser Profitänzer war besonders von den sportlichen Leistungen einer tanzenden Frau begeistert. Sie konnte sich allein mit der Kraft ihrer Hände und mit der Leichtigkeit eines Panthers an der Stripstange bis zur Decke ziehen und sehr elegant wieder herunterrutschen. Der Profitänzer konnte einfach nicht an sich halten. Er lud die Frau an unseren Tisch ein und fragte sie nach ihrem persönlichen Hintergrund aus. Die Frau war Mannschaftskapitänin eines Taekwondo-Teams in der unabhängigen Republik Turkmenistan. Ihre Mannschaft hatte sogar beim vorletzten Turnier Mittelasiens Silber in der Disziplin Taekwondo gewonnen. Für ihr relativ frisch zusammengewürfeltes Team wäre das ein großer Sieg gewesen, erzählte uns die Frau. Leider habe es für Gold nicht gereicht, und in Turkmenistan schätze man Silber nicht, nur Gold zähle. Sie habe neun jüngere Geschwister in Turkmenistan, sieben Mädchen und zwei Jungs, und müsse für alle Geld verdienen. In ihrem Vertrag stand, dass sie sechs Monate im *Weißbär* tanzen musste. Zwei Monate hat sie bereits abgetanzt, fehlten noch vier, bis sie mit dem ertanzten Geld und den anderen Mädchen nach Hause fahren konnte. Sie war nämlich nicht allein im *Weißbär* gelandet, die halbe Taekwondo-Mannschaft der unabhängigen Republik Turkmenistan tanzte hier.

»Ich betrachte diesen Job als zusätzliche Trainingsmöglichkeit«, sagte die Tänzerin, trank ihren Sekt aus, fummelte ihr Top zurecht und ging zurück an die Stange.

Wir verließen die Striptease-Bar, gingen aber noch nicht nach Hause, sondern in eine Bierbar, wo wir bis halb drei noch etliche Biere leerten und »Städte« spielten, ein altes Wortspiel aus der Dummenschule, in dem der eine Spieler eine Stadt ansagt und der nächste mit einer anderen Stadt parieren muss, deren Name mit dem letzten Buchstaben der vorherigen beginnt. Man darf dabei entweder auf nationaler oder internationaler Ebene spielen. Ich nutzte meine Stellung als ausländischer Gast und trumpfte mit deutschen Ortskenntnissen auf. Immerhin lebe ich seit vielen Jahren in Deutschland und kenne viele Orte mit seltenen Namen. Viele russische Städte dagegen waren inzwischen umbenannt worden, sodass ich nur noch wenige kannte. Als mir keine russischen Städte mehr einfielen, die mit einem »A« begannen, sagte ich »Aachen«.

»Das hast du dir jetzt aber ausgedacht!«, lachten meine Freunde. »Aachen gibt es nicht!«

»Aachen gibt es! Ich schwöre!«, rief ich laut.

Meine Freunde taten so, als würden sie mir glauben. An anderen Stellen hatte ich allerdings im entscheidenden Moment so etwas wie »Vechta« oder »Ludwigsburg« oder »Wilhelmshaven« eingeworfen. Meine Mitspieler vertrauten mir daher immer weniger.

»Das hast du dir jetzt aber bestimmt ausgedacht, sag endlich die Wahrheit!«, drängte der Kalinka-Tänzer. Je glaubwürdiger ich schwor, desto mehr zweifelten meine Freunde. »Auf diese Weise kann doch jeder an jedes Wort hinten ein ›heim‹ oder ›hafen‹ anhängen, und schon hast du eine neue Stadt«, meinten sie misstrauisch.

»So etwas würde ich niemals tun«, versicherte ich, begeisterte mich aber heimlich sofort für diese Idee und sagte aus Spaß »Kaisersberg«, »Wilhelmsheim« und ganz am Ende sogar, völlig erfunden, »Wilhelmshelm«. Das haben sie mir merkwürdigerweise sofort geglaubt.

Ich ging spät zu Bett und träumte, ich wäre auf dem Rückweg nicht in Berlin, sondern durch eine mysteriöse Zugverwechslung in Wilhelmshelm gelandet. Die Bewohner dort waren überwiegend ältere Menschen, die Jungen waren wahrscheinlich alle weggezogen. Ein typisches

Schicksal deutscher Kleinstädte, dachte ich. Irgendwie kannten mich dort alle, Rentnerpaare grüßten mich auf der Straße schon von Weitem und lächelten mir freundlich zu. Einige sagten sogar ein paar Begrüßungsworte auf Russisch, und alle fragten mich höflich, wann sie nun endlich ihre Möbel zurückbekommen würden.

Die Altlastenablagerungsstellen

Der Gesundheitswahn breitet sich wie ein Virus in Deutschland aus. Überall auf den Straßen laufen einem Menschen in Sportanzügen entgegen, die besorgt auf die Uhren schauen und selbst vor einer roten Ampel auf der Stelle herumzappeln. Sie können keine Sekunde lang stehen bleiben. Die Autos in der Stadt dürfen keine Gifte mehr ausstoßen, im Lebensmittelladen wird nicht einmal mehr eine Gurke ohne ausführliche Geburtsurkunde gekauft. Wo kommt sie her? Wer waren die Eltern? Wer hat sie nach Deutschland geschleppt und warum? Der Gurkenesser will alles über die Gurke wissen, bevor er sie verspeist. Eine neue heile Welt entsteht direkt vor der Haustür. Die Übergewichtigen, die Säufer, dieses ganze unsportliche Pack raucht nervös an der Ecke. In dieser Welt haben die Jogger und die Blogger das Sagen.

In der Schule meiner Kinder fängt jeder Tag mit Sportunterricht an. Bei den Schulwürstchen, den Aufläufen, den Klopsen, dem ganzen Angebot der Schulkantine wird mit großen Fußnoten im Menü darauf hingewiesen, wenn die Gerichte irgendwelche Farbstoffe oder andere gesundheitsschädigende Komponenten enthalten. So weit ist es schon gekommen, dass Kinder-Vegetarier eine Sonderschlange beim Mittagessen bilden. Und neulich erzählte mir meine Tochter, wie einmal direkt vor ihrer Schule ein großes Auto mit roter Plakette gestanden und fürchterlich gestunken habe. Alle Kinder auf dem Hof hätten sofort Hustenanfälle bekommen, als sie die Plakette gesehen hätten, und wären mit tränenden Augen davongerannt.

Wenn ich mir die Geschichten meiner Kinder anhöre, wundere ich mich jedes Mal aufs Neue und frage mich, wie es nur möglich war, dass wir – und mit »wir« meine ich alle Landsleute, die heute älter als dreißig sind – überhaupt überlebt haben. Wir wohnten in Häusern mit Wasserleitungen aus Blei und Wänden aus Asbest. Die Möbel in unseren Zimmern waren oft mit giftigen Lacken und Farben imprägniert, und einmal an einem Kleiderschrank zu lecken, bedeutete den sicheren und qualvollen Tod. Wir spielten mit leicht brennbarem Spielzeug, und die Pingpong-Bälle, die wir in der Schultoilette anzündeten, verwandelten sich in stinkende Rauchwolken. Es gab keine Kindersicherung an den Steckdosen, und unsere Schulwürstchen bestanden zu neunzig Prozent aus Farbstoffen, und niemand wusste, woraus die restlichen zehn Prozent waren. Die Lkws auf den Straßen unserer Kindheit hinterließen schwarze Wolken, die noch Tage danach die Luft verpesteten. Das Wasser in den Flüssen, in denen wir schwimmen lernten, glitzerte in der Sonne in allen Farben des Regenbogens und roch süßlich nach Benzin.

Man tat allerdings auch damals schon einiges für die eigene Gesundheit. Ein warmes Bügeleisen auf dem Rücken galt als das sicherste Mittel gegen Hexenschuss. Aus Holzmehl gebrannten Wodka nahm man mit viel Pfeffer und Honig gerne gegen Erkältung ein. Kohlblätter halfen gegen Gelenkschmerzen, und auf Wunden wurde gepinkelt. Frauen nutzten Bier als Haarfestiger, und Männer tranken am frühen Morgen Gurkenmarinade gegen ihren Kater. Wir bastelten Wasserkocher aus Rasierklingen und Ladepfropfen aus alten Filzschuhen. Und was wir in unserer Jugend getrunken, was wir geraucht haben! Furchtbar! Ein Tropfen Portwein hinterließ Löcher in der Tischdecke, in den sowjetischen Papirossi, die man ab zwölf kaufen durfte, knackte es beim Glühen, und manchmal fielen dunkle Teile heraus, die nicht nach Asche aussahen. Trotzdem haben wir überlebt, wir sind sozusagen mit einem leichten Schnupfen davongekommen.

Bis heute hinkt meine alte Heimat in Sachen Gesundheitswahn Deutschland hinterher. In russischen Großstädten beginnen die Menschen erst allmählich, sich beim Fahren ab und zu anzuschnallen und Alkohol nach Kalorientabellen auszuwählen. Deutschland ist dagegen ein einziger ökologischer Wanderweg geworden. Gesundheitsgefährdendes wird man hier bald nur noch in Museen bewundern können. Bestimmt werden diese Museen sich bei der Bevölkerung großer Beliebtheit erfreuen und zu den Hauptsehenswürdigkeiten der Städte gehören. So wie in Nordhausen, einer kleinen thüringischen Stadt am Fuße des Harzgebirges.

Ich war zu einer Lesung im Operntheater dorthin eingeladen worden. Die dortige Buchhändlerin hatte früher an der sozialistischen Gaspipeline Druschba am Abschnitt Urengoj–Pomary–Uschgorod gearbeitet. Diese Pipeline zog sich von Sibirien über die Ukraine bis in die Tschechoslowakei und sollte einmal um die Erde herum gelegt werden. Sehr viele Ostdeutsche haben bei dieser »Großbaustelle des Sozialismus« mitgemacht. Einmal im Jahr treffen sie sich nun irgendwo bei Leipzig in einem Gasthof und hängen dort mehrere Tage lang am Kronleuchter – schweben sozusagen in Erinnerungen: ein Klassentreffen der besonderen Art.

Aber hier soll es um Nordhausen gehen. Zu den wichtigsten Attraktionen dieser kleinen Stadt zählten neben einem eigenen Operntheater und der Buchhändlerin, die an der Druschba-Pipeline gearbeitet hatte, ein Doppelkorn- und ein Tabakmuseum. Man hat in Nordhausen schon immer, seit fünfhundert Jahren, um genau zu sein, Korn gebrannt. Und man hatte vor, auch weiterhin dort Korn zu brennen, egal was kam. Deswegen lautete hier die Parole »Tradition mit Zukunft«. Die Brennerei hatte alle Winkelzüge der europäischen Geschichte einigermaßen gut überstanden, obwohl den Nordhäusern nichts erspart geblieben war. Am Ende des Zweiten Weltkrieges, im April 1945, war Nordhausen von Alliierten zu achtzig Prozent zerbombt worden, ohne dass es dort irgendwelche nennenswerten militärischen Ziele gegeben hätte. Die Alliierten hatten anscheinend noch zu viele Bomben übrig, die sie nicht zurück nach Hause schleppen wollten. Die Brennerei wurde aber schnell wieder aufgebaut. Die Wende und die danach kommende flächendeckende Abwicklung der ostdeutschen Betriebe im Zuge der Schaffung blühender Landschaften hat die Brennerei auch beinahe unbeschadet überstanden. Die Stadtbevölkerung war nicht geschrumpft, und die Abwanderung hielt sich in Grenzen, obwohl die anderen Betriebe und Fabriken in der Region dichtmachten. Die Brennerei gab sich geschickt dem Großinvestor Rotkäppchen anheim, einer anderen alkoholhaltigen Erfolgsgeschichte aus dem Osten.

Ich glaube, das Doppelkornmuseum hält die Menschen hier zusammen. Es ist kein langweiliges Museum, sondern eins, das man immer wieder besuchen will. Nach einer schnellen trockenen Führung durch die Keller der Brennerei findet eine Verkostung mit der eigenen Produktion statt. Später kann die Runde wiederholt werden. Auch ein Besuch zwischendurch im Tabakmuseum lohnt sich. Vor der Wende befand sich hier eine große Tabakfabrik, die ein Drittel des gesamtostdeutschen Bedarfs an Rauch-, Schnupf- und Kautabak lieferte. Heute ist daraus ein »Museum zum Anfassen und Mitmachen« geworden, wie es im Touristenprospekt heißt. Die alten Mauern der Tabakfabrik wirken wahrscheinlich wie Nikotinpflaster: Wer sich dort an die Wand anlehnt, braucht zwei Wochen lang keine Zigaretten mehr.

Oh, wie viele wunderbare Entdeckungen hält Mitteldeutschland noch parat für jemanden, der zufällig vom Wanderweg abgekommen ist.

Taspo Awards

Jeder Schriftsteller wird ab und zu mit den Figuren aus seinen Büchern verwechselt. Er kann sich noch so lange dagegen wehren oder darüber schimpfen, er bleibt trotzdem für alles, was in seinen Büchern geschieht, verantwortlich. Selbst wenn er von solch unrealistischen Gestalten wie Drachen, Zauberern oder Außerirdischen berichtet, denkt der Leser sofort, der Autor muss doch, wenn auch vielleicht nicht selbst außerirdisch, dann mindestens mit einem Außerirdischen verwandt sein.

So wurde ich zum Beispiel Gartenexperte. Ich habe ein Buch über das Leben und Arbeiten im Schrebergarten geschrieben, obwohl ich selbst dort selten anwesend war und bin. Meine Frau hat in diesem Garten gearbeitet und Wunder vollbracht, ich habe es bloß beschrieben. Trotzdem hat mich die Öffentlichkeit plötzlich zum Gartenspezialisten auserkoren. Fortan wurde ich zu Gartenfernsehsendungen, Gartenmessen und Gartenzwergkongressen eingeladen, verteilte Gartenpreise und gab wertvolle Ratschläge zum Gärtnern, obwohl ich keine Ahnung davon habe. In unserem Schrebergarten konnte ich nicht einmal den Todesstreifen vor unserem Gartenzaun richtig anlegen, fünfundfünfzig Zentimeter breit und fünf Meter lang, so wie es die Gartengesetzgebung in unserer Schrebergartenkolonie vorschreibt.

Die Idee, einen Garten zu pachten, kam ebenfalls von meiner Frau. Sie braucht ständig neue Kümmer-Objekte, um die sie sich sorgen kann. Eigentlich wollte sie einen Hund. Einen kleinen chinesischen Hund mit dem fast unaussprechlichen Namen Chihuahua. Oder eben einen Garten. Vor die Wahl gestellt favorisierte ich den Garten. Ich dachte in erster Linie an meine Ruhe. Ein Garten bellt nicht, man muss mit ihm nicht zweimal am Tag raus, und auch finanziell ist er bestimmt weniger aufwendig als ein Hund, dachte ich. Ich war zu dem Zeitpunkt, wie gesagt, eine völlige Gartenlusche. Ich hatte keine Ahnung.

Nach einem Jahr Gartenbesitz habe ich ein Buch verfasst. Eine ziemlich oberflächliche Beschreibung eines Gartenjahres. Ich ahnte nicht, welchen Stein ich damit ins Rollen bringen würde. Eine Auflage jagte die nächste, Gartenvereine luden mich zu Vorträgen ein, irgendwelche Fonds, die in Großstädten Kleingartenkolonien aufkaufen, um sie in natureingebettete Wohnflächen für Großfamilien umzuwandeln, riefen an und boten mir noch einen weiteren Garten zu Forschungs- und Werbezwecken an. Ich verzichtete, wir hatten mit unserem eigenen bereits genug zu tun. Dafür nahm ich eine Einladung auf das Schloss Ippenburg bei Bad Essen an, wo eine große Gartenschau stattfinden sollte. In jenem Jahr zeigte die Schlossherrin Viktoria Freifrau von dem Bussche mithilfe von dreißig Russlanddeutschen in ihrem großen Park eine Art Kunstausstellung, bestehend aus verschiedenen Schrebergartentypen. Es gab einen typisch deutschen mit Fahnenmast und Nationalfahne, einen chinesischen aus Bambus, einen philosophischen mit einer runden Laube und eine russische Datscha mit Samowar auf dem Tisch und großen Konfitüredosen auf dem Fußboden.

Der Höhepunkt meiner bisherigen Gärtnerkarriere aber war eine Einladung zur feierlichen Verleihung der TASPO AWARDS, der Garten-Oscars. Die Preisverleihung fand im Hotel Hyatt am Potsdamer Platz statt. Der Konferenzsaal des Hotels wurde zu diesem Anlass von den besten Floristen des Landes dekoriert, und die ganze Gartenbranche versammelte sich in Smoking und Abendkleidern an den Tischen. Die Nominierung für die Garten-Oscars erfolgte in zweiundzwanzig Kategorien, angefangen mit dem Preis für die am längsten blühende Rose des Jahres bis hin zum Preis für kreative Topfpflanzenzüchtung und der einfallsreichsten Friedhofsgärtnerei. Für alle Fälle nahm ich meine Frau mit. Von uns beiden war sie diejenige, die notfalls ein einigermaßen fachkundiges Gartengespräch mit den Koryphäen der Branche bestreiten konnte.

Meine Frau gab sich tatsächlich Mühe. Sie erzählte unseren Tischnachbarn – alles Gartenfunktionäre von höchstem Rang – ihre Erfahrungen mit dem alten elektrischen Rasenmäher aus der DDR und mit dem neuen Benzinrasenmäher, den wir uns vor Kurzem anschaffen mussten, nachdem der sozialistische Rasenmäher-Bruder auf unserem Rasen Selbstmord beging, indem er über sein eigenes Stromkabel fuhr und dadurch einen letalen Kurzschuss verursachte. Das Gespräch über die Rasenmäher zündete nicht richtig in der Runde an unserem Tisch. Nur der Baumarktbeauftragte fragte meine Frau interessiert, ob unser neuer Rasenmäher bereits an die aktuellen Abgasbestimmungen für Rasenmäher angepasst sei. Die anderen Tischnachbarn drückten sich und meinten, sie hätten mit Rasenmähern nichts zu tun, sie wären nur für die Erde zuständig.

»Ich bin zum Beispiel überhaupt nur für Containerpflanzen zuständig«, erklärte die nette Dame rechts von uns.

»Ich für das Baumarktsortiment«, sagte ein anderer Tischnachbar.

»Blumenstraußkonfigurationen«, stellte sich ein Dritter vor.

»Und wer von Ihnen ist für Gurken zuständig?«, erkundigte sich meine Frau völlig unvermittelt. Schweigen kam auf.

»Was für Gurken?«, fragten die Experten um uns herum.

»Irgendwer muss doch für Gurken zuständig sein«, meinte meine Frau. »Deutschland hat nämlich ein großes Gurkenproblem. Haben Sie hier schon mal Gurken gekauft?«, fragte sie.

Unsere Tischnachbarn taten verlegen, als hätten sie noch nie in ihrem Leben eine deutsche Gurke gesehen, ganz zu schweigen davon, eine oder mehrere gekauft zu haben. Niemand an unserem Tisch schien für Gurken zuständig zu sein.

»Was stimmt denn mit den Gurken nicht?«, fragte ein Gartenmanager interessiert. Im Konferenzsaal herrschte eine heitere Stimmung. Gerade wurde auf der Bühne der Oscar für das beste Friedhofswaldkonzept des Jahres verliehen. Der Gewinner, ein hagerer älterer Mann, küsste die blonde Moderatorin auf die Wange, hob die Statuette hoch und schrie: »Yahoo!«

»Was mit den Gurken nicht in Ordnung ist? Sie schmecken einfach scheiße«, erklärte meine Frau. »Es gibt nur eine einzige Gurkensorte in Deutschland: Gurken, die wie Handgranaten aussehen, ohne Geruch, ohne Geschmack, als wären sie nicht in Erde, sondern in der chemischen Lösung eines Gurkenlabors gewachsen. Die Fragen der Zuständigkeiten in der Gartenbranche müssen noch einmal überdacht werden«, forderte meine Frau.

»Im Kaukasus«, so erzählte sie dann, »ist zum Beispiel jeder Gartenmensch für alles zuständig, seien es Blumen, technische Geräte oder Gemüse. Gurken wachsen dort im Mist, sie werden im Mai gepflanzt und manchmal noch einmal im Juli. Gurken-Handgranaten will im Kaukasus niemand haben. Es sind normale Gurken mit feiner Gänsehaut, klein in der Länge und groß im Geschmack. Die Menschen pflanzen sie nicht aus Not, sondern aus Spaß. Eigentlich bräuchten sie im Kaukasus keine Gurken zu pflanzen. Es gibt von den Bauernhöfen der Umgebung genug davon auf dem Markt, sie werden dort zu Spottpreisen verkauft, eine eigene Gurkenernte lohnt sich daher eigentlich nicht. Die meisten Gurken werden ohnehin für den Winter eingelegt, und wie viele eingelegte Gurken braucht ein Mensch schon? Sieben Dreilitergläser pro Jahr. Die Leute dort machen es trotzdem. Jedes Jahr pflanzen alle ihre eigenen Gurken, weil sie sich zuständig fühlen für ihre Erde, ihre Blumen, für alles, was aus dieser Erde wächst. Für sie ist ein Garten wie eine Familie – eine Überlebensstrategie, die Solidarität und Verantwortung erfordert, dafür aber den Menschen das Gefühl gibt, nicht bloß als Untermieter auf die Welt gekommen zu sein.«

Die Tischrunde nickte, aber irgendwie ein bisschen desinteressiert, wie mir schien – sie waren ja auch nicht für Gurken zuständig. Vielleicht dachten sie aber auch insgeheim: Diese Russen, ein richtiges Gurkenvolk.

Der Wald

Die Wissenschaft hat es längst herausgefunden: Unsere unmittelbare Umgebung diktiert unsere Überlebensstrategien, sie knetet uns und härtet uns ab. Unsere Umwelt prägt uns mehr als unsere Eltern, wir alle sind bloß Versuchskaninchen im Dienste der Anpassungsexperimente von Mutter Natur. Unsere Traditionen, Bräuche, Temperamente, Gefühlslagen und sogar unser Aussehen, mit einem Wort alles, was uns voneinander unterscheidet, entspringt der Anpassungsfähigkeit unserer Vorfahren. Völker zum Beispiel, die nahe am Wasser leben, wie die Japaner, haben wenig Körperhaare, ihre Haut ist blass, und ihre Formen sind wie vom Wasser geschliffen, was darauf hindeutet, dass ihre Vorfahren viel Zeit im Wasser verbracht haben. Japaner sind obendrein absolut wasserdicht, können aber Alkohol nicht gut vertragen, weil sich aus Meerestieren nur schwer Schnäpse brennen lassen. Außerdem sollte man im betrunkenen Zustand das Wasser sowieso besser meiden, das weiß jedes Kind.

Bergbewohner wie etwa die Kaukasier können unglaublich lange in der Hocke sitzen, ohne sich mit dem Rücken an irgendetwas anzulehnen. Sie hocken quasi in der

Luft und halten auf jeder schrägen Ebene zudem phantastisch das Gleichgewicht. Sie sind aber alle ohne Ausnahme weitsichtig. Sie erkennen sofort, was sich auf der Spitze des Berges abspielt, können aber eine Zeitung nur mit dicken Brillen lesen.

Die Russen als Menschen der Steppe können sehr gut reiten, es liegt ihnen quasi im Blut. Sie können auf dem Pferd essen und tanzen, sie können sich sogar während des Reitens mit geschlossenen Augen vermehren. Früher bekamen die Kinder in der Steppe, Jungs wie Mädchen, bereits mit fünf Jahren ein Pferd von ihren Eltern geschenkt. Nur derjenige, der reiten konnte, galt als erwachsen. Heute haben viele Russen aus Gründen der Globalisierung und des fortschreitenden Turbokapitalismus keine Pferde mehr, aber sie reiten in Gedanken trotzdem noch und sind deswegen oft schwer zu verstehen, wirken zappelig und nervös.

Die Deutschen sind ausgesprochene Waldmenschen. Alle ihre wichtigsten Geschichten, Legenden, Märchen, Sagen – ob Hermannsschlacht oder Hänsel und Gretel – spielen im Wald. Der Wald wurde hier immer als die eigentliche Heimat empfunden, als Ort, an dem die deutsche Seele zu Hause ist. In deutschen Legenden wird in den Wäldern gegen Räuber und fremde Soldaten gekämpft, Ritter verlaufen sich zwischen den Bäumen, und tapfere kleine Kinder werden von ihren Eltern schnöde im Wald ausgesetzt. Eines der beliebtesten Lieder der Deutschen ist »Mein Freund der Baum«. Die bekanntesten Bands tragen Namen wie »Rosenholz«, und überhaupt mögen die Deutschen jede Art von Holz. Die deutsche Architektur, Wohnungseinrichtungen, Kneipen – alles strotzt vor Holz. Asketischer Pragmatismus verbindet sich hier mit einer speziellen »Gemütlichkeit«, indem er viele nützliche und unnütze Dinge auf engstem Raum verteilt, immer in Griffweite. Dazu möglichst viele kleine Vorratskammern, die einem die Möglichkeit geben, viel Proviant für später zu verschachteln. Und als Ergänzung kleine Glöckchen an den Türen zu engen, hohen Räumen. Wer schon einmal eine Eichhörnchenhöhle von innen gesehen hat oder sich vorstellen kann, wie Eichhörnchen leben, wird diese Lebenseinstellung sofort wiedererkennen. Und wenn die Seele der Russen die Steppe ist, mit ihrer trügerischen Endlosigkeit und Weite, so ist das Herz der Deutschen der Wald. Der Wald im Herzen erzeugt ein Gefühl von Gemeinsamkeit, er macht die Menschen höflich, sie geben einander gerne die Hand. Abends verlassen sie ihre Bäume, um in einer speziellen Kneipenhöhle ein paar Biere zu trinken.

Die Waldmenschen geben mit ihren Bäumen nicht an, schließlich sehen alle Bäume einander sowieso ähnlich, selbst wenn einer etwas dicker als der andere ist. Wenn Waldmenschen ihre gemütliche Gegend verlassen, in den Urlaub an den Strand fahren oder zur Abwechslung in die Berge klettern, sehen sie dabei oft komisch aus, wie Eichhörnchen in der Wüste. Am Strand werden die einen unruhig, andere dagegen verfallen in eine Starre und bauen sich schnell eine Art Baum, mit dem sie sich von der Außenwelt abschotten – die berühmten deutschen Sandburgen. Auch im Schnee wirken die Waldmenschen fehl am Platz. Sie starren den Schnee an, streicheln ihn, finden ihn eigentlich ganz toll, können aber nichts damit anfangen.

Würzburg

Auf halber Strecke zwischen Bayreuth und Meiningen landete ich in Würzburg, einer schönen alten Stadt mit allerlei Schlössern, Weinbergen und einem Weltkulturerbe – der Residenz. Überall in Bayern fanden Kommunalwahlen statt, schon in Bayreuth sah ich dazu Sammelwahlplakate, von denen einem gleich drei Dutzend Kandidaten entgegenlächelten. Diese Wahlplakate erinnerten mich an Klassenfotos, wobei in dieser Klasse ein paar extrem alt gewordene Schüler saßen und mindestens ein Wunderkind, das deren Enkel sein könnte.

In Würzburg stach einem die Kommunalwahl besonders heftig ins Auge. Die ganze Stadt war mit Wahlplakaten in allen Farben des Regenbogens zugeklebt. Man hatte das Gefühl, jeder zweite Zahnarzt und jede erste Hausfrau wollte in Würzburg Bürgermeister oder mindestens Stadtrat werden. Die meisten vertraten keine Partei, waren also ideologisch nicht verbohrt. Sie kandidierten auf unzähligen Bürgerlisten mit wenigsagenden Wahlslogans wie »Gerechtigkeit und Transparenz« oder »Frischer Wind für Würzburg«. Meine Meinung zu solchen politischen Programmen war gespalten. Einerseits kann frischer

Wind sicherlich nicht schaden. Andererseits hinterließ der Wunsch nach mehr »frischem Wind für Würzburg« bei mir eine merkwürdig unhygienische Vorstellung, als ob dort jemand dauernd gefurzt hätte.

Was wollen all diese Menschen mit ihrer Stadt anstellen?, überlegte ich, an den Reihen der lächelnden Stadtratskandidaten vorbeimarschierend. So viel Politik traute ich Würzburg gar nicht zu. Eine ruhige, für Barock- und Weinliebhaber attraktive Stadt. Irgendwelche sozialen Brennpunkte waren nicht auszumachen. Selbst in Bayreuth konnte man ein bisschen politischen Sprengstoff vermuten, wenn auch nur mit viel Phantasie. Die sozialen Brennpunkte würden sich dort sicher zumindest mit einem Vergrößerungsglas finden lassen. Allein schon die Dönerbude »Parsifal« mit einem aufgemalten lustigen Männchen beeindruckte. Man stellte sich sofort einen modernen Ritter vor, der, mit einem Dönerspieß statt einem Schwert bewaffnet, durch die Wälder irrte, um auf diese Weise seine möglichen Feinde auf Distanz zu halten. Man konnte sich leicht allerlei lustige Wahlplakate für eine politische Auseinandersetzung in Bayreuth vorstellen: »Kriminelle Nibelungen raus« zum Beispiel. Oder »Nieder mit Wagner, es lebe Puccini« oder einfach »Schluss mit der Oper«.

Aber Würzburg? Hier war nie groß etwas gewesen, keine Industrie, dementsprechend keine Wirtschaftsflüchtlinge, keine Ausländer, kein Wagner. Die Uni ist der größte Arbeitgeber der Stadt, das muss doch ein Gefühl der Sicherheit vermitteln. Die Uni ist nicht Nokia, sie zieht nicht um, sie geht nicht pleite. Weinanbau findet hier praktisch mitten in der Stadt statt, und auf Alkohol ist immer Verlass, es ist ein solides Unternehmen. Zusammen sorgen die Rebstöcke und die Studenten in Würzburg für ein aufregendes Kulturleben. Wenn die Wappen in Deutschland neu zu entwerfen wären, würde ich für Würzburg einen von einer Weinrebe umwickelten Studenten vorschlagen. Die Winzer hier machen einen ehrlichen Weißwein, dessen guter Ruf weit über die Grenzen Deutschlands reicht. Wozu noch politische Intrigen?

Abends saß ich mit meinem Würzburger Bekannten bei einer Verkostung der einheimischen Weinproduktion. Das Gespräch kam unweigerlich auf die bevorstehenden Kommunalwahlen.

»Das politische Engagement der Bürger in eurer Stadt ist unglaublich«, meinte ich. »Nach der Anzahl der Wahlplakate zu urteilen, trägt jeder Würzburger einen inneren Bürgermeister in sich. Dabei ist hier doch eigentlich alles im Lot, der Stadt geht es gut«, wunderte ich mich.

»Das stimmt nicht, das hast du völlig falsch eingeschätzt«, konterte mein Bekannter. »Würzburg hat ganz viele Probleme, die nur die Politik lösen kann. Die Uni hat zu wenig Geld, die Winzer werden unzureichend vom Staat unterstützt, außerdem haben wir hier eine Brache, ein Schloss, das nicht fertig renoviert wurde. Das hat jemand gekauft, dem dann das Geld ausging. Die Ruine sieht nicht gut aus, da muss die Politik doch eingreifen. Die CSU sagt, weiterbauen, die Grünen aber haben bereits einen Antrag beim Bund zum Schutz seltener Tierarten gestellt, weil sich in dem alten Schloss angeblich mittelfränkische Fledermäuse eingenistet haben. Die wurden bis jetzt nur von den Grünen gesichtet, weil die CSUler wahrscheinlich längst schlafen, wenn die Fledermäuse ausfliegen.«

Wir stießen auf die Fledermäuse an, und ich musste lachen: »Wegen einer einzigen Ruine dieser ganze Salat? Leute, ihr schätzt nicht, was ihr habt! Ihr wohnt in einer sauberen, gepflegten Stadt mit feiner unterfränkischer Küche und hauseigenen Weinen, ihr badet im Barock, ihr seid von der UNESCO als Weltkulturerbe anerkannt, was wollt ihr mehr? Sollen doch die Stadträte in spe weiter ihre eigentlichen Berufe ausüben. Auf den Plakaten war bei den Kandidaten oft ein Titel zu lesen: Herr Dr. phil. oder Frau Dr. med. Hat sie etwa keine Patienten mehr?«

»Ja, du hast schon recht«, sagte mein Bekannter, »diese Wahl ist ein bisschen wie Kindergeburtstag mit Gästelisten. Wen lade ich dieses Jahr ein, wen lade ich aus? Die Stadt ist klein, bei mehreren hundert Kandidaten ist es so, dass jeder Bürger mindestens einen Kandidaten persönlich kennt. Zum Beispiel weiß ich, dass meine Nachbarin aus dem dritten Stock kandidiert. Ich wohne im Erdgeschoss. Ihr Dackel hat mir bereits zweimal in die Blumen geschissen, also weiß ich: Die wähle ich schon mal nicht. Die Frau kann nicht einmal mit ihrem eigenen Hund umgehen. Sie mit ihrem Dackel kommt mir auf gar keinen Fall auf den Wahlzettel.«

»Von welcher Partei ist sie denn?«, fragte ich.

»Keine Ahnung, das spielt keine Rolle«, klärte er mich auf. »Die Parteien bedeuten hier nicht viel, es wird nach

Visagen, nach Bekanntschaften und Charaktereigenschaften, nicht nach Parteizugehörigkeit gewählt. Viele Kandidaten kommen von den Bürgerlisten. Parteilosigkeit ist in. Vorletztes Mal hat hier einer von einer solchen Liste gewonnen, und letztes Jahr kam noch ein weiterer in die engere Stichwahl, das hat vielen Mut gemacht, sich als unabhängige Kandidaten aufstellen zu lassen. Auch viele Hausfrauen, die es satthaben, zu Hause zu sitzen, gehen in die Politik, um sich vor der drohenden Bedeutungslosigkeit zu retten. Was sollen sie sonst tun, wenn die Kinder erwachsen und aus dem Haus sind? Ihre Ehemänner gehen vermutlich aus demselben Grund in die Politik, um nicht mit ihren Frauen jeden Abend vor der Glotze zu sitzen. Dann treffen sich beide plötzlich im Stadtrat und machen einander die Hölle heiß mit ›Gerechtigkeit und Transparenz‹«, lächelte mein Freund.

Wir stießen auf die Stadträte, ihre Frauen, auf Fledermäuse, auf die UNESCO, auf die Gerechtigkeit und die Transparenz an.

Am nächsten Tag verließ ich Würzburg mit einem leichten Kater in Richtung Thüringen. Der Zug schaukelte hin und her, ich saß am Fenster und beobachtete die herrlich öde winterliche Landschaft. Während der ganzen Strecke bis Schweinfurt konnte man keinen einzigen Baum, kein Haus oder Auto sehen. Nur kahle verschneite Felder mit undefinierbaren Gemüseresten drauf und Winterhasen, die unheimlich schnell und hoch neben den Gleisen hin und her sprangen, überhaupt sehr engagiert und sportlich wirkten. An einer Stelle fuhren wir an einem adlerähnlichen Vogel vorbei, er saß regungslos mitten im Feld und wartete auf Beute.

In Meiningen gab es keine Kommunalwahlen. Die an die Häuser und Werbewände geklebten Plakate luden zum »Russischen Zirkus« ein, der gerade in der Stadt gastierte. Die Transparente im Schaufenster des Reisebüros lockten mit »Sonne und Mehr«, und die Speisekarte vor dem Ratskeller versprach eine delikate Schweinesülze zum Valentinstag.

Die Deutschen und die Unordnung

Stefan Zweig hat in seinem letzten Buch *Die Welt von Gestern. Erinnerungen eines Europäers* zu den Deutschen angemerkt, sie könnten alles ertragen, Kriegsniederlagen, Armut und Not, aber keine Unordnung. Nicht die Kriegsniederlagen, sondern die Inflation habe sie in die Verzweiflung getrieben und hitlerreif gemacht. Wegen der finanziellen Anarchie waren sie bereit, sich mit jedem Teufel zusammenzutun, der ihnen die Wiederherstellung von Ordnung versprach.

Seitdem ist viel Zeit vergangen. Aus Deutschland wurde die BRD, ein freies demokratisches Land mit drei Konsonanten: einem meckernden, einem brüllenden und einem schlürfenden. Alles läuft nach Plan, die Angst vor Unordnung bleibt jedoch der wunde Punkt der Nation. Wenn ein Plan mal nicht funktioniert, ein Zug zu spät kommt oder ein Taxi nicht hält und ein Flugzeug nicht rechtzeitig abhebt, bricht sofort die heile Welt zusammen, und alle Sicherungen knallen durch. Intelligente, höfliche Bürger trampeln ihre Kinder nieder, schmeißen mit Koffern um sich und springen auf die Gleise. In jedem Gebäude Deutschlands hängen an der Wand Evakuierungspläne für den Fall eines Brandes. Das hat einen Grund. Ohne einen solchen Plan wären die Deutschen nicht imstande, ein brennendes Gebäude zu verlassen. Lieber würden sie in Flammen aufgehen, als etwas ohne Plan zu unternehmen. Wenn jemand hier eine Geburtstagsfeier plant, so muss er als Erstes seine Nachbarn davon in Kenntnis setzen, dass es an dem Tag in seiner Wohnung unter Umständen etwas lauter werden könnte. Danach kann er die ganze Nacht durchdonnern, niemand fühlt sich verletzt. Wenn es aber in einer Wohnung ohne Vorwarnung laut wird, drehen die Nachbarn sofort durch. Sie schlagen mit ihren Köpfen gegen die Wand, zünden das Haus an und rufen die Polizei.

Gleich nach der Geburt wird hier die Frage der möglichen künstlichen Beatmung im Alter diskutiert, sowie die in Frage kommenden zukünftigen Pflegestufen, weil ja jedes Kind früher oder später alt sein wird, d.h. wenn alles nach Plan läuft. Um hier alt zu werden, muss es aber sehr viele Formulare ausfüllen, unzählige Versicherungen abschließen und Einverständniserklärungen erteilen. Sobald ein Mensch hierzulande schreiben bzw. unterschreiben kann, wird er jeden Tag seines Lebens ausfüllen und unterschreiben, ausfüllen und unterschreiben, ausfüllen und unterschreiben.

Mein Kind geht aufs Gymnasium, und ich gebe ihm täglich eine unterschriebene Einverständniserklärung mit. »Damit Ihr Kind Benutzer der Bibliothek werden kann«, »Um die Fotos Ihres Kindes in der Wandzeitung abdrucken zu dürfen«, »Um am Schwimmunterricht teilnehmen zu dürfen« – nur zu: Ich unterschreibe alles.

Gestern bestellte ich in einer Eckkneipe ein volkstümliches Gericht, den Strammen Max, ein mit Eiern und Schinken belegtes Brot. »Aber bitte mit einer Scheibe Brot statt zwei«, präzisierte ich.

»Eine Scheibe statt zwei? Wie? Eine statt zwei?« Der Kellner dachte heftig nach, ob und wie es möglich wäre, einen Strammen Max mit einer Scheibe statt mit zweien zu machen. Es ging beim besten Willen nicht, nein, es war »eine gastronomische Sackgasse«. Etwas verstört schaute er mich an. Natürlich zog ich sofort meine Bestellung zurück, der Stramme Max soll so bleiben, wie er immer ist: mit zwei Scheiben Brot und zwei Spiegeleiern drauf.

»Na und«, wird mancher Leser vielleicht sagen, »was ist so schlecht an der Liebe zur Ordnung? Warum soll nicht alles nach Plan laufen?«

Das eigentliche deutsche Drama besteht darin, dass es eben so gut wie nie nach Plan läuft. Das Leben steckt voller Überraschungen. Auch Mutter Natur handelt ungenau, der Wind weht mal von rechts und mal von links, die Sterne sind mal mehr und mal weniger am Himmel zu sehen, und manchmal geht die Sonne später bzw. früher auf als erwartet, trotz der Zeitumstellung. Selbst wenn man jeden Tag zweimal die Straße fegt, bleibt immer irgendwo Müll liegen, irgendwelche Hunde laufen immer ohne Leine herum, und es gibt immer Menschen, die sich auf frisch gestrichene Bänke setzen, weil es ihnen Spaß macht. Es ist zum Verrücktwerden. Um in diesem Chaos zur Ruhe zu kommen, versteckt sich der Deutsche in seinem kleinen Schrebergarten. Dort kann er seine Utopie einer absoluten Ordnung verwirklichen. Dort pflanzt er und schneidet und gießt und pflanzt.

Am Mauerpark

In Berlin wohne ich am Mauerpark, einem Streifen Erde, auf dem früher die Berliner Mauer stand. Dort ist jetzt ein Flohmarkt. Niemand weiß inzwischen mehr, wo die Mauer genau stand, links vom Flohmarkt oder rechts vom Flohmarkt. Der Mauerpark wird zwar in jedem Reiseführer der Hauptstadt erwähnt, bietet aber wenig Sehenswürdiges. Er ist kein Park, und es gibt da auch keine Mauer, es ist quasi eine unsichtbare Sehenswürdigkeit, typisch für Berlin.

Meine Nachbarn, alles junge engagierte Internetdesigner, gründeten eine Bürgerinitiative zur Bepflanzung des Mauerparks, um dem gehaltvollen Namen des Ortes einen Sinn zu geben. Obwohl eine Initiative zum Wiederaufbau der Mauer diesem Zweck eigentlich besser entsprochen hätte. Doch selbst mit dem bescheidenen Wunsch der Bepflanzung sind unsere Mitbürger gescheitert. Die Leitung des Bezirkes hielt dagegen. Die Immobilienverhältnisse im Mauerpark seien noch immer nicht ganz geklärt, hieß es. Man wisse nicht, welche Seite des Mauerparks wem gehöre, der Deutschen Bank, der Allianz-Versicherung, beiden gleichermaßen oder nur je zur Hälfte. Außerdem gäbe es Pläne, die eine Seite an die andere Seite zu verkaufen. Die kapitalistische Gierschlange, die bekanntermaßen ihren eigenen Schwanz zu schlucken versucht, hielt den Mauerpark fest im Maul. Statt ein paar neue Bäume anzusiedeln, wurden sogar auf Geheiß des Bezirksamtes die letzten Bäume auf unserer Straße gegenüber dem Mauerpark gefällt – mit der skurrilen Begründung, sie seien »zu alt und zu krank«. Wenn nämlich diese alten kranken DDR-Bäume, die noch im Sozialismus mit Gott weiß welchen gefährlichen deutschdemokratischen Düngestoffen präpariert worden waren, nun infolge eines Gewitters auf kapitalistische Autos oder Fußgänger fielen, würde die Versicherung nicht zahlen. Aus diesem simplen Grund haben wir nun gar keine Bäume mehr.

Nach Absprache mit dem Bezirksamt legten wir mit den Nachbarn Geld zusammen und pflanzten wenigstens einen Baum vor unserem Haus, auf eigene Gefahr sozusagen. Aber er ist noch sehr klein, als Baum nicht wirklich erkennbar. Im Mauerpark selbst bleibt alles bis auf Weiteres kahl und leer, nur ein paar Prenzelberger Hunde laufen dort herum. Die Prenzelberger Hunde sind ebenfalls engagiert, sie blicken optimistisch in die Zukunft und kacken schon jetzt den Mauerpark voll, um den Boden für spätere Baumpflanzungen aufzubereiten. Diese Hunde sind eine besondere Rasse, sie sind extrem langlebig, beinahe unsterblich. Die meisten von ihnen habe ich bereits vor fünfzehn Jahren kennengelernt, und sie haben sich seitdem überhaupt nicht verändert. Gut, viele von ihnen haben inzwischen neue Besitzer oder Halstücher in einer anderen Farbe. Die Hundebesitzer und die Halstücher sind anscheinend nicht so langlebig wie die Tiere. Die extreme Lebensdauer der Prenzelberger Hunde liegt, so glaube ich zumindest, in ihrem gesunden Lebensstil begründet. Sie verbringen viel Zeit an der frischen Luft, sie rauchen und trinken nicht, sie vögeln jeden Tag und ernähren sich relativ gesund – aus großen Büchsen mit Futter, das viele Konservierungsstoffe und andere wichtige Vitamine beinhaltet, die das Hundeleben verlängern. Dieses Hundefutter gibt es in Tausenden von Sorten, beinahe jeden Monat kommt eine neue Hundefutterkonserve auf den Markt. Einmal hatten wir sogar eine Sorte mit Phosphor, was die Hundekacke im Dunkeln leuchten ließ. Dieses Futter verwandelte den Mauerpark für eine kurze Zeit in ein kleines Las Vegas, alles leuchtete grün und blau, und der Park sah aus wie ein funkelndes Meer – sehr sehenswert. Es dauerte aber nicht lange, und die neue Marke verschwand wieder vom Markt, genauso plötzlich, wie sie aufgetaucht war.

Seitdem ist im Mauerpark nicht mehr viel los. Aber zum zwanzigsten Jahrestag des Mauerfalls rief bei mir die Redaktion von *Aspekte* an, einer ZDF-Sendung, die aus dem gegebenen feierlichen Anlass Aussagen über die Mauer und das Leben danach sammelte.

»Wieso ich?«, fragte ich den Redakteur, »ich habe doch diese Berliner Mauer nie gesehen oder erlebt, ich kenne sie nur aus dem Fernsehen. Als ich im Juli 1990 aus Moskau nach Berlin zog, war sie schon weg, wir haben uns gewissermaßen verpasst.«

»Aber Sie leben doch so nahe am Mauerpark«, meinte

der Fernsehredakteur, »Sie können uns bestimmt erzählen, wie spannend heute das Lebensgefühl dort ist.«

»O ja, das kann ich gut«, sagte ich. »Nur damit Sie es wissen, bei uns im Mauerpark ist schon lange tote Hose, außer wenn am Sonntag Flohmarkt ist.«

»Das macht nichts«, meinte der Fernsehredakteur, »wir drehen es einfach so, wie es ist.«

Wir verabredeten uns an einem Sonntag um zwölf Uhr bei mir, um wenigstens ein paar Flohmarktkunden im Hintergrund zu haben.

»Vielleicht gelingt es dir, auf diesem Wege die Öffentlichkeit für die Bepflanzung des Parks zu gewinnen«, meinten meine Nachbarn, als ich ihnen von dem Termin erzählte. Das war dann auch mein Plan. Ich wollte das Jubiläum des Mauerfalls nutzen, um über die heutigen Probleme zu reden.

Am verabredeten Tag regnete es. Der Himmel war grau, der Flohmarkt reduzierte sich auf zweieinhalb Kleiderständer. Dazu passierte jedoch Unvorhergesehenes: Ausgerechnet an diesem Sonntag spielte im Jahn-Stadion der 1.FC Union gegen Dynamo Dresden. Dieses Unheil passiert bei uns nicht oft, aber wenn, dann richtig. Wir haben uns längst daran gewöhnt, aber für Außenstehende ist es, glaube ich, nix. Das muss man nicht gesehen haben, schon gar nicht im Nachmittagsprogramm des ZDF, wenn möglicherweise noch Kinder vor der Glotze sitzen. Irgendwie wird es schon klappen, dachte ich jedoch. Wir gingen mit dem Fernsehredakteur und dem Kameramann aus dem Haus, ich stellte mich mit dem Mauerpark im

Rücken auf die Straße und sagte mit trauriger Stimme in die Kamera: »Seit die Berliner Mauer gefallen ist, ist im Mauerpark nichts los.«

In diesem Moment fuhren hinter mir etwa vierzig Polizeiwagen vorbei.

»Na ja«, setzte ich nach einer kurzen Pause fort, »nur manchmal wird der Mauerpark als Übungsgelände für die Berliner Polizei benutzt.«

Eine Hundertschaft mit Stöcken und Schilden bewaffneter Polizeibeamten versuchte währenddessen, hinter meinem Rücken die Fans der 1.FC Union vom Gleimtunnel fernzuhalten, und die Fans skandierten laut: »Wichser! Wichser!«

»Und manchmal erlauben sich die Polizeibeamten einen kleinen Spaß mit den Fußballfans, wenn das Wetter mitspielt«, erzählte ich ungerührt weiter. Ich wollte ja irgendwie auf das Thema Bäume kommen, dieses Interview schnell zu Ende bringen und nichts wie weg hier.

»Das glaubt uns kein Mensch, dass wir das nicht nachgestellt haben«, japste der Kameramann vor Glück und filmte nach alle Seiten. Die Situation um unser kleines Kamerateam herum eskalierte mit jeder weiteren Sekunde.

»... nur sehr wenig los im Mauerpark, wie gesagt, man sieht hier kaum Bäume, nur Hunde ...«, murmelte ich und beobachtete aus den Augenwinkeln, wie eine riesige Kolonne von Dynamo-Dresden-Fans aus dem Gleimtunnel direkt auf uns zukam. »Manchmal kommen auch ein paar Sachsen vorbei, aber nur wenn Fußball gespielt wird«, beendete ich den Satz mit einem deutlichen Jucken unter den Füßen. Die Fans von Dynamo Dresden blieben vor unserer Kamera stehen, skandierten selbstvergessen »Selber Wichser!«, wobei sie sicher die anderen Fans meinten. Plötzlich sprangen zwei Jungs in schwarzen Kapuzen aus der Menge der Fans zu mir.

»Bist du etwa Wladimir Kaminer, der Schriftsteller?«, schrie mir einer ins Ohr.

»Wir haben deine Bücher gelesen, hey, geil, dass du auch hier bist!«, riefen die Sachsen und schmissen sich mir an den Hals.

Wir umarmten uns kurz. Ich war gerührt wie noch nie im Leben. Scheiß auf die Mauer, dachte ich, scheiß auf die Bäume, scheiß auf *Aspekte,* es lebe die Literatur und der Fußball. So dachte ich, sagte aber nichts, grinste nur freundlich.

Die Lugente und der japanische Polizist

Die Klasse meiner Tochter besuchte im Deutschunterricht die Redaktion einer großen Zeitung, um die Wortarbeiter direkt an ihrem Arbeitsplatz zu bewundern. Sie wurden von einem freundlichen molligen Mann in Empfang genommen und durch fast alle Abteilungen der Zeitung geführt. Die Kinder besuchten die Ressorts Politik, Wirtschaft und Finanzen, nur der Abteilung Kultur durften sie nicht nahe kommen – wegen der Sensibilität der Kulturmitarbeiter. Die würden sich zu sehr aufregen, wenn sie so viele Kinder sähen, erklärte der Mollige. Die Schüler konnten die Kultur also nur aus der Ferne beobachten, dabei sahen sie, dass die Kulturmitarbeiter, anders als ihre Kollegen aus Wirtschaft und Politik, alle ein eigenes kleines Bürochen besaßen.

»Man darf sie nicht in einem Zimmer zusammenbringen«, erklärte der Mollige. »Sonst fangen sie sofort an, über Kultur zu streiten bzw. endlos zu diskutieren und werden dann nie vor Redaktionsschluss fertig. Kultur ist eine individuelle Angelegenheit«, meinte er, während die Meinungen über Wirtschaft, Finanzen und Politik am besten in einem gemeinsamen Raum ausdiskutiert wurden. »Die wichtigsten Seiten jeder Zeitung bestehen aber nicht aus Diskussionen und Meinungen, sondern aus Werbeanzeigen«, meinte der Mollige, der selbst in der Werbeabteilung der Zeitung arbeitete. »Diese Annoncen sind das tägliche Brot jeder Zeitung, ihr Hauptgewinn. Nicht die Kultur, die Annoncen ernähren die Mitarbeiter«, bemerkte er und zwinkerte den Kindern zu. »Die wichtigste Seite unserer Zeitung ist zur Zeit eine Doppelseite mit Aldi-Werbung für schönen Käse, Katzenfutter und Wurst, alles sehr preiswert und gut fotografiert. Für diese Seite zahlt Aldi zehntausend Euro. Erscheint die Zeitung dreißigmal im Monat, kommt da eine beträchtliche Summe zusammen. Die Mitarbeiter von Kultur, Finanzen oder Politik können dann einkaufen gehen, Käse, Katzenfutter und Wurst. Zum Glück wissen sie aus ihrer eigenen Zeitung, wo sie das alles preiswert kriegen.«

Unten in der Lobby stand ein Souvenirkiosk voller Plüschtiere, vor allem Enten gab es dort jede Menge.

»Wenn die Mitarbeiter der Zeitung merken, dass sie zu spät nach Hause kommen, kaufen sie ihren Frauen und Kindern zur Entschuldigung ein Plüschtier«, erklärte der Mollige. »Zum Beispiel eine Zeitungsente, um damit ihrer Liebsten zu sagen: ›Siehste, ich habe die ganze Nacht gearbeitet und dabei nur an dich gedacht.‹«

Nebenbei erfuhr meine Tochter auch noch, dass der Begriff »Zeitungsente« Falschmeldung bedeutete und aus dem Englischen kam – von der Abkürzung für »not testified«. Nach dem Zweiten Weltkrieg hätten die Alliierten angeblich den deutschen Zeitungen misstraut und sie gezwungen, unter viele Artikel den Hinweis »N.T.« zu setzen, was sich wie Ente anhörte, so hat es mir Nicole nacherzählt.

»Das kann nicht stimmen«, wandte ich ein, »denn im Russischen wird die Falschmeldung ebenfalls Ente genannt. Haben etwa die Russen ihre Ente von den Nachkriegsdeutschen übernommen? Das kann ich mir ehrlich gesagt nicht vorstellen.«

Wir recherchierten dazu im Internet. Unsere Recherche ergab, dass es unglaublich viele »Enten« gab. Die einen schrieben, Martin Luther habe einmal in einer pathetischen Rede, um die Lügen einer Legende zu entlarven, diese »Lugende« genannt, woraus später eine Lug-Ente wurde. Die anderen erzählten von einem Belgier, der einmal aus Spaß eine Falschmeldung über die Gefräßigkeit von Enten verbreitet habe. Laut seinem Bericht habe eine Ente vor mehreren Augenzeugen neunundzwanzig ihrer Artgenossen verspeist. An diese Ente haben sehr viele geglaubt. Warum aber ausgerechnet ein solcher Knutschvogel wie die Ente zum Inbegriff der Unglaubwürdigkeit wurde, haben wir nicht herausbekommen.

Die Einfälle der Menschen sind manchmal wirklich schwer nachzuvollziehen. Für Betrug muss bei ihnen eine Ente stehen, für tragische unvorhergesehene Umstände zum Beispiel immer der Nachbar. In Deutschland habe ich mehrmals den Ausdruck gehört: »Wenn die Kosaken kommen«, d.h. im Falle äußerster Not. Die Polen haben für unvorhergesehene traurige Umstände die Redewendung »v raze nemza«, was so etwas wie »im Falle eines Deutschen«

bedeutet, und die Russen sagen zu einer unerwarteten Katastrophe »Ach, du japanischer Polizist«. Die Wurzeln der meisten dieser Redewendungen sind im Dunkeln der Geschichte verloren gegangen, nur über den japanischen Polizisten weiß ich zufällig Bescheid.

Im 19. Jahrhundert wurde der letzte russische Zar, Nikolaus II., damals noch ein junger Prinz, von seinem Vater auf eine weite Reise geschickt. Als Erster aus der Zarenfamilie besuchte Nikolaus Japan, und anfänglich begeisterte ihn das Land sehr, vor allem die Geishas, von denen ihm die russischen Seemänner erzählten. Als erster und letzter russischer Zar ließ er sich ein Tattoo machen, einen farbenfrohen Drachen auf dem linken Unterarm.

Bei einem feierlichen Empfang des Prinzen in Nagasaki sprang dann allerdings ein japanischer Polizist, der an der Absperrung stand, völlig unerwartet auf Nikolaus zu und schlug ihm kräftig mit dem Säbel von hinten auf den Kopf. Die japanische Regierung war über den Vorfall entsetzt, der traditionellen japanischen Gastfreundschaft war großer Schaden zugefügt worden. Umgehend entschuldigte sich der Kaiser persönlich bei Nikolaus, und eine junge Dame erstach sich aus Protest gegen das Attentat mit einem Dolch. Der zukünftige Zar Nikolaus trug ein Loch im Hinterkopf davon, tat nach außen aber so, als wäre er nicht nachtragend, fuhr jedoch schnell in seine Heimat zurück.

Wie sich später herausstellte, behielt er den japanischen Polizisten allerdings in seinem verletzten Kopf und begann fünfzehn Jahre später einen Krieg gegen Japan, den er schnell verlor. Russland ging damals bereits mit seiner ersten Revolution schwanger, und täglich kam es zu gewaltsamen Auseinandersetzungen mit der Polizei. In dieser Zeit kursierte in Moskau ein Achtzeiler von einem unbekannten Dichter:

Großes Unglück ist passiert,
hatten Zeitungen zu klagen,
unser Zar wurde traumatisiert,
von japanischer Polizei geschlagen.

Doch wie bei jeder bösen Tat
ist hier Gutes vorzutragen:
Auch die Zaren wissen nun,
wie hart die Polizisten schlagen.

Die Brücke über die Isar

Der freundliche Taxifahrer am Münchner Flughafen war ein Geschichtenerzähler. Während der dreißigminütigen Fahrt in die Stadt erzählte er mir nahezu deren gesamte Historie inklusive ihres Entstehungsmythos. Der Taxifahrer dachte dialektisch, er wusste, nichts passiert einfach so, alles hat einen Grund oder sogar zwei. Unter anderem machte er mich auf den expressiven Fahrstil der Münchner aufmerksam. Viele Autos mit Münchner Kennzeichen schienen in der Tat Fangen auf der Autobahn zu spielen. Sie blinkten nach allen Seiten und wechselten ständig die Fahrbahn.

»Der Münchner ist ein Halbstarker, der sich immer wieder zu beweisen versucht«, klärte mich der Fahrer auf, der selbst ein gebürtiger Freisinger war.

Diesen Minderwertigkeitskomplex hat München nach Meinung meines Fahrers seinem Gründungsmythos zu verdanken. Vor mehr als tausend Jahren war nämlich Freising groß, reich und berühmt. Sein kleiner Bruder München war dagegen klein und arm, ein Dorf am Rande des Lebens. Seinen Reichtum hatte Freising der Brücke über die Isar zu verdanken. Laut damaliger Gesetze mussten alle Kaufleute, die mit ihren Waren die Freisinger Brücke passierten, nicht nur eine Gebühr bezahlen, sondern sich mehrere Tage in der Stadt aufhalten und ihre Waren auf dem dortigen Markt zum Verkauf anbieten. Heute nennt man solche Orte Wirtschaftssonderzonen. Sie bringen Regionen wie Shenzhen oder gar ganze Länder wie Polen zum Blühen. Und Freising war ein germanisches Shenzhen, es blühte über alle Maßen auf.

Einmal, während der Bischof von Freising irgendwo in Italien in einer militaristischen Angelegenheit unterwegs war, besuchte der Münchner Herzog Heinrich der Löwe Freising und brannte die Brücke über die Isar nieder – ohne böse Absicht, wie er später behauptete. Er ließ auch sofort eine neue Brücke über die Isar bauen, diesmal aber in München. Als der Bischof von Freising aus Italien zurückkam, wollte er als Erstes dem Herzog die Fresse polieren. Aber das ging nicht, da beide dem Kaiser unterstellt waren. Und der Kaiser des römischen Reiches germanischer Nation tat sich schwer, in diesem Fall zu richten. Außerdem war er mit dem Kläger und dem Beschuldigten gleichermaßen verwandt. Er meinte, der Herzog und der Bischof sollten die Sache selbst, d.h. untereinander klären, wie es unter Verwandten üblich war. Daraufhin bot der Herzog dem Bischof eine prozentuale Beteiligung an den Brückeneinnahmen an, aber er schummelte bei der Abrechnung, und so wurde Freising nach und nach arm und vergessen, München dagegen reich und berühmt. Doch das diffuse Gefühl, durch eine Gemeinheit zu Reichtum und Ruhm gekommen zu sein, dieses Gefühl hat die

Münchner nie wieder losgelassen, behauptete jedenfalls der Taxifahrer. Man sehe es auf den Straßen, auf der Autobahn, in der Kunst und in der Architektur. Die Münchner hätten alle ihre Kirchen und Dome irgendwo in Europa abgeguckt, kopiert oder geklaut, zog er Bilanz und ließ mich raus. Die Stadt machte einen guten Eindruck, es roch nicht nach brennenden Brücken, sondern nach geräucherten Makrelen im Biergarten. Die Einheimischen sahen außerordentlich freundlich aus, glücklich und zufrieden.

Mir ist in München an diesem halben Tag allerdings etwas Seltsames passiert. Nur ein paar Stunden habe ich dort verbracht und gleich zweimal Geld auf der Straße gefunden, einen Zehneuroschein und einen Zwanziger. Beide lagen vor der Tür einer Apotheke. Es gibt in München übrigens unüblich viele Apotheken, mindestens zwei in jeder Straße, manchmal sogar vier oder sechs. Dabei sehen die meisten Münchner überhaupt nicht krank aus, im Gegenteil: Sie strotzen vor Gesundheit und positiver Energie. Die Münchner haben auch sehr gepflegte Umgangsformen, sie geben auf alte Menschen Acht und essen alle Weißwürste vor zwölf Uhr restlos auf. Darüber hinaus gehen sie anscheinend oft und gerne zum Apotheker und schmeißen danach mit Geldscheinen nur so um sich. Vielleicht hatte der Taxifahrer recht, und die Leute hier hatten alle eine leichte Meise. Deswegen bekamen die Münchner besondere Antidepressiva oder andere verschreibungspflichtige Medikamente, die sie so frisch aussehen, immer die gleiche Partei wählen und sich jedes Jahr aufs Neue über das Oktoberfest freuen ließen. In Berlin habe ich noch nie Geld auf der Straße gefunden, auch dann nicht, als ich es dringend brauchte.

Das letzte Mal hatte ich in der Sowjetunion Geld gefunden. Als Kind träumte ich davon, eines Tages tausend Rubel zu finden. Es ging mir dabei nicht um persönliche Bereicherung. Ich wollte mit diesem Geld all denen eine Freude machen, die ich liebte. Die tausend Rubel wollte ich wie folgt aufteilen: Siebenhundert Rubel würden an meine Eltern gehen, wobei sie das Geld fünfzig zu fünfzig oder wie auch immer unter sich aufteilen sollten. Da wollte ich mich nicht einmischen. Die restlichen dreihundert Rubel sollte Natascha G. bekommen, meine erste Liebe aus der 6b. Ich folgte Natascha auf Schritt und Tritt, begleitete sie nach Hause und trug dabei ihren Ranzen unter den hämischen Pfiffen meiner Mitschüler. Meine Liebe war aber stärker als die Angst, mich in den Augen der Öffentlichkeit zu blamieren.

Abends ging ich Geld suchen. Ich war mir sicher, dass irgendwo in unserem Bezirk Geld versteckt sein musste. Die Gegend war sumpfig und dunkel, ein ideales Versteck. Es hätte zum Beispiel leicht passieren können, dass jemand eine Bank ausgeraubt, aber unterwegs seine Beute verloren oder aber beschlossen hatte, sie zu verstecken – in der Sumpfgrube hinter unserem Haus. Auch dachte ich an amerikanische Spione, an die »Agenten des Kapitals«, wie man sie in der Zeitung brandmarkte. Irgendwo mussten sie doch ihr Kapital verstecken, warum nicht in der Sumpfgrube hinter unserem Haus? Diese Grube war ein ideales Versteck für Fremdkapital, ich hätte mein Geld bestimmt dort gebunkert, aber ich hatte keins. Ich fand lange Zeit nichts und kam nur immer wieder in nassen, schmutzigen Klamotten nach Hause, worüber meine Mutter schimpfte. Einmal, als ich Natascha G. wie üblich nach Hause brachte, sah ich direkt vor ihrem Haus einen Dreirubelschein in einer Pfütze liegen. Es waren nicht tausend Rubel, aber es war dennoch viel Geld. So viel wie dreißig Päckchen Kartoffelchips oder dreißig Fruchteisbecher mit Birkensirup oder dreißig Karten für eine Vormittagsaufführung für Hörgeschädigte im Filmtheater Brest.

»Tschüss dann, bis morgen«, sagte ich zu Natascha G.

»Tschüss«, sagte sie, bewegte sich aber kein bisschen.

»Dann tschüss, bis morgen, tschüss«, wiederholte ich.

»Geh jetzt, hau ab«, sagte sie.

Wir standen einander gegenüber, und keiner wollte gehen. Natascha G. hatte eine gute Beobachtungsgabe, sie hatte den Geldschein auch bemerkt. Mir war das nur recht, ich wollte ihr sowieso ein Drittel geben, später. Wir sind dann zu dem Lebensmittelladen gegangen und haben dort den Schein gewechselt. Jeder bekam einen Rubel fünfzig. Eigentlich eine gerechte Lösung, aber die Brücke war abgebrannt, und mit der Liebe war es ab da auch aus und vorbei.

Die Erfindung des Rades

Mein afghanischer Bekannter, der als Kind von seinen Eltern aus Afghanistan nach Deutschland verschleppt wurde und in Hamburg aufgewachsen ist, erzählte mir einmal, dass seine Eltern, die ein gut gehendes indisches Restaurant in Hamburg führten, selbst noch nie essen gegangen waren, kein einziges Mal in zwanzig Jahren. Wenn sie auskundschaften wollten, wie es bei der Konkurrenz schmeckte, schickten sie ihren assimilierten Sohn.

»Asiaten sind ortsgebundene, häusliche Leute, sie essen am liebsten das, was ihnen ihre Mutter, ihre Frau oder ihre Schwester zubereitet hat«, klärte mich mein afghanischer Freund auf.

Sogar die Computer-Inder, die in den großen europäischen oder amerikanischen Firmen arbeiten, gehen in der Mittagspause nicht in die Pizzeria, sie essen das, was sie von zu Hause in einer Dose mitgebracht haben. Mein arabischer Freund musste als Kind zusammen mit seinen Eltern Palästina verlassen, weil ihr Dorf unglücklich zwischen die Fronten geraten war und Woche für Woche von zwei Seiten beschossen wurde. Er geht selten essen, dann aber richtig. Tagelang kann er sich nur von trockenem

Brot und Leitungswasser ernähren, aber am Wochenende geht er aus und feiert dann gleich die ganze Nacht durch, das gesamte Programm aus *1001 Nacht* auf fünfeinhalb Stunden komprimiert. Seinen Lebensstil erklärt er mit seinen Vorfahren, die angeblich Nomaden waren. Sie ritten mit ihren Kamelen durch die Wüste auf der Suche nach einer Oase. Unterwegs konnten sie viel ertragen, aber die Oase musste dann auch den kühnsten Erwartungen standhalten. Dubai ist ein solcher wahr gewordener Traum von einer perfekten Oase in der Wüste. Wer diese Stadt kennt, weiß, wovon ich spreche.

Ganz anders verhält es sich mit meinen deutschen Freunden, die jeden Tag woanders essen. Die meisten Berufsgruppen sind in Deutschland mobil, d.h. permanent am Ausgehen: Kleinhändler, Messeveranstalter, Versicherungsvertreter, Lohnarbeiter, Steuereintreiber, Beamte aus zahllosen Ämtern. Sie haben ein eigenes Nomadentum entwickelt, dessen Oase »Gemütlichkeit« heißt. Die deutsche Gemütlichkeit ist sehr speziell und bedeutet in der Regel die Möglichkeit, an jeder Ecke und zu jeder Zeit in gut beheizten Räumen deftige Sachen zu essen, die eine längere Verdauungszeit in Anspruch nehmen. Zum Beispiel Schweinebauch mit Pfefferknacker und Sauerkraut auf Kartoffelsalat. Oder geräucherte, kurz angebratene Gänsebrust mit Pellkartoffeln und Bohnen oder Eisbein oder was weiß ich – das bringt uns jetzt nur vom Thema ab.

Die Beamtennomaden haben eine intakte Infrastruktur für die lückenlose Zubereitung und den Verzehr von deftigen Sachen entwickelt, d.h. das Land flächendeckend mit kleinen rustikalen Kneipen überzogen, um maximale Gemütlichkeit mit minimalstem Aufwand zu erreichen. Für eine vollkommene Gemütlichkeit braucht man allerdings ein paar Bier und ein paar Schnäpse hinterher. Das macht das Fahren schwierig. Um sich in der Kneipe einen hinter die Binde kippen zu können und trotzdem mobil zu bleiben, haben die Deutschen das Fahrrad erfunden. Es war der Mannheimer Adelige Karl Friedrich Christian Ludwig Freiherr Drais von Sauerbronn, der als Forstbeamter diente und nebenbei vor fast zweihundert Jahren das Fahrrad erfand! Die Russen, Chinesen und Engländer werden das bestimmt bestreiten.

»Der Glaubenssatz, dass das Fahrrad an mehreren Orten gleichzeitig erfunden worden sei, ist falsch. Es gab bloß gleichzeitig an mehreren Orten den chauvinistischen Drang, die Prioritäten zu fälschen«, schreibt Deutschlands berühmtester Fahrradexperte Professor Hans-Erhard Lessing in seinem Buch *Faszination Fahrrad.*

Ich würde sagen, dass jedes Volk das Fahrrad bekommt, das seinem Selbstverständnis am besten entspricht, seinen Vorstellungen von Mobilität. Jedem Volk sein Fahrrad. Das deutsche Rad, »die Laufmaschine von Drais« genannt, war sicher und bodenständig. Es konnte unter keinen Umständen kippen, da der Fahrer mit beiden Füßen auf der Erde stand. Die Erfindung von Drais wurde aus der Notwendigkeit geboren und hatte eine Naturkatastrophe zum Hintergrund. Anfang des 18. Jahrhunderts ereignete sich eine Vulkanexplosion auf den Sunda-Inseln, die Unmengen von Asche in die Atmosphäre schleuderte: Der Himmel wurde schwarz, und mitten im Sommer lag überall Schnee auf den Feldern. Es ging in Richtung globale Erkältung, der Hafer wurde knapp, die Menschen hungerten, und viele Pferde mussten notgeschlachtet werden. Um die schwindende Gemütlichkeit wiederherzustellen, erfand Karl Friedrich Ludwig seine Laufmaschine – zwei Holzräder hintereinander, ohne Kette und ohne Pedale, dafür aber mit einer Seilbremse. Man musste sich mit beiden Füßen vom Boden abstoßen, um die Laufmaschine in Bewegung zu setzen.

Dadurch hat der Erfinder eines der größten Probleme der damaligen Zeit geschickt umgangen: das Problem der Balance. Die Deutschen des 18. Jahrhunderts waren das Balancieren nicht gewohnt. Männer hatten große Probleme damit, und für Frauen galt das Balancieren gar als extrem unsittlich. Deswegen wurden sie in Deutschland auch bis in das 19. Jahrhundert hinein vom Schlittschuhlaufen ausgeschlossen. Der Erfinder der Laufmaschine absolvierte persönlich eine Probefahrt. Er fuhr dreizehn Kilometer von Mannheim nach Schwetzingen und zurück. Trotzdem verlief die Durchsetzung seiner Laufmaschine und ihre weitere Entwicklung nicht reibungslos. Zuerst hatten die Männer Angst, sich lächerlich zu machen. Später trauten sie sich sehr lange nicht, die Füße vom Boden zu nehmen, wenn sie auf der Laufmaschine saßen. Außerdem kursierten Gerüchte in der Öffentlichkeit, dass Fahrradfahren impotent machen würde. Der Erfinder selbst wurde verleumdet und lächerlich gemacht, indem man ständig neue unglaubwürdige Geschichten über ihn erfand. Viel Zeit musste vergehen, bis sich die Mannheimer Erfindung verselbstständigte und in millionenfacher Ausfertigung zum meistverkauften Fahrzeug der Welt aufstieg. Heute hat jeder Chinese ein Fahrrad und fast jeder Inder, die Araber haben dagegen kaum Fahrräder. Ich habe dafür zwei.

Zelten in Brandenburg

»Warum müssen wir immer auf diese anstrengenden Weltreisen gehen, Paris, London, Rom? Können wir nicht einmal wie eine ganz normale deutsche Familie Urlaub machen?«, fragte meine Tochter.

»Wie meinst du das, Nicole, wie macht eine ganz normale deutsche Familie Urlaub?«, fragte ich irritiert nach.

»In Brandenburg zelten!«, klärte mich das Kind auf.

Ich weiß, woher sie ihre Informationen über die Freizeitaktivitäten der Ganznormaldeutschen bezieht, von ihrer Schulfreundin Mari, einem großwüchsigen Mädchen, bei dem niemand auf die Idee käme, es wäre erst elf. Der Vater von Mari ist Polizist, die Mutter Grundschullehrerin, ein perfektes Erziehungsteam. Beide sind Berufspädagogen, der Vater geht mit dem Schlagstock zur Arbeit, die Mutter mit dem Zeigestock. Vor fünf Jahren sind sie mit ihrer Tochter nach Thailand geflogen, um fremden Kulturen einmal persönlich zu begegnen, sonst zelten sie immer in Brandenburg, wenn sie Urlaub haben – und zwar nur auf ausgewählten Zeltplätzen. Die Mari-Familie ist aber auch schon fast die einzige normale deutsche Familie in unserem Umkreis. Ich kenne sonst niemanden, der in Brandenburg zeltet, abgesehen von den Campern im Cargolifter, dem größten Zelt von Brandenburg und gleichzeitig dem höchsten der Welt. Im Cargolifter zu zelten ist aber etwas anderes, es hat nichts mit Normal-deutsch-Sein zu tun.

Der Cargolifter, dieses Malaysia des Ostens, ist kein x-be-liebiger Zeltplatz. Es ist ein Ort, der die neueste Geschichte Deutschlands widerspiegelt – die mit der Wiedervereinigung versprochene blühende Landschaft, ein Paradies, das aussieht wie ein Riesenschwimmbad mit Palmen und Grillwürstchen. Nach der Wende suchte man dringend nach neuen Nutzungskonzepten für die ehemalige DDR. In Brandenburg siedelte sich daraufhin die Firma Cargolifter an – mit einer Halle zum Bau gigantischer Zeppeline. Aber noch bevor das erste Luftschiff fertig war, ging die Firma in Konkurs. Die Halle wurde von einem malaysischen Investor übernommen, der daraus eine Wellness- und Erholungsoase namens »Tropical Island« machte. Aber die Einheimischen nennen das Objekt weiterhin Cargolifter. Die »Island«-Idee bestand darin, eine tropische Insel mit ebenfalls tropischen Temperaturen mitten in Deutschland zu schaffen, die es den Besuchern erlauben würde, in Badeanzügen zu überwintern. Egal wie lange man vorhatte, im Tropical Island zu baden, der Eintrittspreis wurde nur einmal verlangt. Damit hatte man freien Zugang zum Paradies, ob für drei Stunden oder für drei Jahre. Das Winterproblem in Brandenburg sollte so ein für alle Mal gelöst werden.

Die Gäste meckerten trotzdem. Im Winter funktionierte das Tropical Island nämlich nicht ganz perfekt. Weil die

Halle zu einem anderen Zweck und deutlich zu hoch gebaut worden war, stieg die warme Luft unablässig nach oben und löste sich in der Atmosphäre über dem Hallendach auf. Die kalte Luft sickerte trotz aller Sicherheitsmaßnahmen durch das Dach nach unten und sorgte für einen leichten, erfrischenden Luftzug. Kurzum: Das Tropical Island war nicht tropisch genug. Die Gäste litten darunter, vor allem aber litten die Palmen und damit auch der Investor.

Im Sommer ist das Tropical Island jedoch ein lustiger Ort. Es wird gegrillt, gebadet, getrunken und jeden Abend brasilianisch getanzt. Die meisten bleiben über Nacht, viele zelten. Die Mehrheit der Badegäste kommt aus Polen, man hört hier und dort aber auch Russisch und Deutsch, vor allem Berlinerisch. Letztens haben meine Freunde sogar Japaner im Cargolifter getroffen. Die Japaner hatten einen weiten Weg auf sich genommen, sie waren quasi um die halbe Welt gereist, um das tropische Paradies in der Cargolifter-Halle zu bewundern. Ein Trip ins authentische Malaysia wäre für sie sicher sehr viel kürzer gewesen. Doch der Mensch ist von Natur aus neugierig, es zieht ihn immer dorthin, wo er noch nicht war.

Obwohl die Gäste aus verschiedenen Regionen kommen, herrscht im Tropical Island keine Sprachverwirrung, alle verstehen einander blendend, wenn auch nicht ganz. Doch je mehr Zeit sie miteinander in dem Riesenschwimmbad verbringen, desto deutlicher hört man bei allen Sprachen eine tropisch-brandenburgische Aussprache heraus. Über bestimmte Singvögel habe ich gelesen, dass ihre Artenbildung durch den Gesang erfolgt. Diese Vögel entwickeln nämlich ihren Gesang weiter, indem sie Geräusche aus der Umgebung aufnehmen und in ihren Melodien »verarbeiten«. Damit locken sie Weibchen an und markieren ihr Territorium. Wenn einige Singvögel wegfliegen und sich zum Beispiel in der Nähe einer Autobahn niederlassen, während sie früher in der Nähe eines Flusses lebten, können sich die Dagebliebenen und die Weggeflogenen nach kurzer Zeit nicht mehr verstehen. Nicht anders funktionieren die Menschen, glaube ich, auch wenn sie nicht singen. Wie die Singvögel auf beiden Seiten der Oder, die einander nicht verstehen und sich demzufolge nicht miteinander paaren können, verhält es sich mit den Bürgern der Bruderrepubliken der ehemaligen Sowjetunion. Noch vor Kurzem sprachen sie alle Russisch. Aber plötzlich verstehen sie einander nicht mehr und wollen nichts mehr miteinander zu tun haben. Die Vögel auf beiden Seiten der Oder sehen einander verblüffend ähnlich, tragen aber unterschiedliche Namen. Hier heißen sie Nachtigall, dort Sprosser. Die Teilung der Menschen geschieht nach dem gleichen Prinzip. Sie machen einen Schritt auseinander, und nachdem sie ihre Sprachen mit den Geräuschen ihrer Umgebung vermischt haben, verstehen sie einander nicht mehr.

Es muss also immer an der Umgebung liegen, wenn wir uns nicht verstehen. Diejenigen, die an der Autobahn groß geworden sind, kreischen; wenn sie in der Steppe auf die Welt kamen, wird der Wind zwischen ihren Zähnen pfeifen, und wenn sie nahe am Wasser aufwuchsen, würde ein aufmerksamer Zuhörer das Rauschen des Meeres in ihrem Sprechen erkennen. Die Umgebung ist schuld daran, dass die Franzosen nuscheln und die Engländer miauen. In leisen Ländern sind die Menschen in der Regel schweigsam, in lauten umgekehrt gesprächig, und viele Völker aus vogelreichen Ländern machen es ihren Vögeln nach. Die Chinesen zwitschern wie die Spatzen, und die Russen gurren, aber nicht alle und nicht überall. Großstadtrussen kreischen nämlich ganz laut und machen Fabrikgeräusche – eine Folge der Turboindustrialisierung. Die Russen aus dem Süden singen wie die Sachsen, und die Kasachen aus der Steppe kauen so komisch beim Sprechen, als hätten sie Sand im Mund.

Neulich unterhielt ich mich bei der Russendisko mit meinem DJ-Kollegen Juri auf Großstadtrussisch, als wir von einer Landsfrau, einer Russin aus Usbekistan, angesprochen wurden.

»Sagt mal, Jungs«, fragte sie uns, »das, was ihr sprecht, was ist das für eine Sprache?«

»Das ist Russisch«, sagten wir.

»Ich habe es mir fast gedacht«, nickte die Dame. »Es hat sich auch wie Russisch angehört. Aber warum habe ich dann kein Wort verstanden?«

Wir wunderten uns ebenfalls.

Bei mir zu Hause hat sich die Sprache noch weiter entwickelt. Meine Tochter berlinert nämlich, wenn sie mit mir auf Russisch über die Einzelheiten des Zeltens in Brandenburg spricht. Aber wie sich Berlinerisch auf Russisch anhört, kann ich hier leider nicht wiedergeben.

Wettbewerb

Die Fremdenfeindlichkeit der Deutschen lässt sich leicht bekämpfen, nämlich durch Fütterung. Sie schimpfen über die Ausländer, aber wenn sie von ihnen etwas zu essen bekommen, schimpfen sie weniger. Sie können die aufgeblasenen Amerikaner eigentlich überhaupt nicht leiden, aber für Hamburger und Chickenwings drücken sie beide Augen zu. Die temperamentvollen Türken und zurückhaltenden Vietnamesen haben ebenfalls wichtige gastronomische Aufgaben zu erfüllen: Die einen sind für würzige Kebab-Gerichte, die anderen für scharfes asiatisches Essen zuständig. Der Inder macht das beste Curry, der Italiener backt Pizza. So richtig eng kann es nur bei Ausländern werden, die nicht kochen können. Die sollten sich schleunigst ein paar Rezepte für leckere Sachen aus ihrer Heimat besorgen, denn Fremde, die nicht kochen, werden nicht geduldet. Es sei denn, man ist ein Russe.

Der Russe genießt in Deutschland einen Sonderstatus, er wird geliebt, obwohl er kein Essen zubereiten kann, jedenfalls kein gutes. Er kocht nicht, er sät nicht und erntet nicht. Er ist für die geistige Nahrung zuständig. Der Russe singt, tanzt und spielt Akkordeon – unter anderem in den unzähligen Unterführungen der deutschen Großstädte. Er unterhält, während die anderen kochen. Dafür lieben ihn die Deutschen, besonders die deutschen Frauen, weil die Frauen grundsätzlich mehr für die Kultur als fürs Essen empfinden.

Wenn ich mit Deutschen über meine Heimat rede, höre ich fast ausschließlich Lob. »Oh, dieser Dostojewski! Oh, Tolstoi! Oh, diese Mafia! Und die geheimnisvolle russische Seele…« Die wirkte schon immer auf die Deutschen wie eine Schlange auf Kaninchen. Goethe hat sie besungen und Rilke ebenfalls, Dschingis Khan, Boney M. und nicht zu vergessen Ivan Rebrov sowie die Sängerin Alexandra mit dem Hit »Schwarze Balalaika«, dem eindrucksvollsten Schlager deutscher Sprache, den ich jemals gehört habe. In ihm erzählte die Sängerin von einer unheimlichen Begegnung mit einem jungen Russen namens »Sascha«, der direkt aus der Taiga zu ihr kam. Dieser Sascha hatte nichts an, außer einer schwarzen Balalaika, die er sich ans Herz presste. Er verdrehte Alexandra völlig den Kopf, liebte sie leidenschaftlich und schenkte ihr zum Abschied seine Balalaika, bevor er zurück in seine Schneewüste ging. Ein sehr romantisches Lied. Ich glaube, es diente vielen Russen als eine Art Gebrauchsanweisung für Deutschland, aber nicht alle waren so erfolgreich wie Alexandras Sascha. Daran erinnern unzählige Balalaikas verschiedener Farbe und Größe in den Schaufenstern der hiesigen Musikläden, die mit gebrauchten Instrumenten handeln.

Die erhöhte russische Geistigkeit ist kein bloßer Mythos. Russen singen beispielsweise tatsächlich alle, auch wenn nicht alle den richtigen Ton treffen. Und jeder in meiner Generation kann mehr schlecht als recht Gitarre spielen. Schuld an der gehobenen geistigen Entwicklung war der Sozialismus. In diesem gesellschaftlichen System, das auf totale Gleichheit und Gerechtigkeit aus war, hatte die Mehrheit der Männer keine Möglichkeit anzugeben, weder mit ihren Autos noch mit ihren Anzügen. Es hatten nämlich alle die gleichen Autos und Anzüge. Auch die meisten Lebensläufe waren gleich. Die Karrieren im Sozialismus waren absehbar, weder Streber noch Faulenzer konnten sich in der Planwirtschaft entfalten, alle Wege, die nach oben oder nach unten führten, überwachte der Staat. Deswegen blieb den Männern in der Sowjetunion kaum etwas anderes übrig, als sich in den Dienst der schwarzen Balalaika zu stellen, d.h. zu singen, zu dichten oder zu malen, um bei den Frauen anzukommen. Jeder war ein Künstler, ein Schauspieler, ein Schriftsteller, ein Maler oder Bildhauer. Besonders große Popularität genossen bei den Mädchen natürlich Rockmusiker. Die Sowjetunion war weltweit führend in der Produktion von Sperrholzgitarren. Am Lagerfeuer, am Strand, im Zug und in der Küche wimmelte es von mehr oder weniger charismatischen Gitarristen, die einander zu übersingen versuchten. Überall wurden lautstark Wettbewerbe ausgetragen, außer am Arbeitsplatz. Mit seiner Arbeitsleistung anzugeben, war im Sozialismus verpönt. Arbeiten mit heruntergelassenen Ärmeln gehörte zum guten Ton.

In Deutschland geben die Menschen dagegen ständig mit ihrer Arbeitsleistung an, und der Wettbewerb innerhalb bestimmter Berufsgruppen hat längst nahezu unerträgliche Dimensionen erreicht. Besonders stark ausgeprägt ist dieser Wettbewerb unter Zahnärzten und Friseuren. Einmal ist mir während einer Lesereise eine Füllung herausgefallen. Mein Zahnarzt saß in Berlin, ich fuhr durch Süddeutschland. In der Nähe von Schwieberdingen ging ich daher zum einzigen Zahnarzt, den es dort gab. Er schaute mir in den Mund, wurde grün im Gesicht und fiel beinahe vom Stuhl.

»Wer hat Ihnen das angetan?«, schrie er fast. »War es jemand aus Schwieberdingen?«

»Nein, nein«, sagte ich, »es war einer aus Berlin.«

»Ach, Berlin... Das dachte ich mir fast«, sagte der schwäbische Zahnarzt. »In Berlin wissen sie nicht einmal, wie man einen Bohrer richtig hält. In Berlin werden gescheiterte Krankenschwestern zu Zahnärztinnen umgeschult! Ein Glück für Sie, junger Mann, dass Sie mir begegnet sind.«

Er bot mir an, den ganzen Berliner Schrott aus meinem Mund herauszubohren und stattdessen süddeutsche Qualitätsarbeit zu implantieren. Ich verzichtete dankend auf sein Angebot. Ich musste am gleichen Tag weiter und lief deswegen mit einem Provisorium davon. Am nächsten Tag, bei Frankfurt, fiel mir das schwäbische Provisorium heraus. Der hessische Zahnarzt wurde grün und fiel fast vom Stuhl.

»Wer hat Ihnen das angetan?«

»Ein Berliner und ein Schwabe, ist aber doch egal!«, erwiderte ich etwas nervös.

»Diese Menschen sind amoralisch und als Ärzte nicht tragbar«, schimpfte der hessische Zahnarzt. »Sie benutzen Materialen, die längst überholt sind. Außerdem wachsen ihnen die Hände aus dem Arsch, sie können nicht einmal ein Provisorium richtig einsetzen!«

Das hessische Provisorium hielt zwei Tage. Es fiel erst in Delmenhorst heraus.

»Kommen Sie direkt aus einem russischen Straflager?«, fragte mich die höfliche norddeutsche Zahnärztin. »Eine solche absonderliche zahnärztliche Behandlung habe ich schon lange nicht mehr gesehen. Wer war zuletzt an Ihren Zähnen dran?«

»Ein Hesse, ein Schwabe und ein Berliner«, antwortete ich.

»Oh, Sie Pechvogel!« Sie rollte mit den Augen.

In Berlin angekommen, erzählte ich meinem Zahnarzt diese Geschichte. Er wurde unglaublich zornig, wollte sofort die Telefonnummern und genauen Adressen der Kollegen und ging bereits blass vor Wut die Koffer packen. Ich dachte schon, jetzt werden sie sich zu Tode bohren, ich habe einen zahnärztlichen Krieg verursacht. Bis heute weiß ich nicht, wie der Krieg ausgegangen ist, ich war seitdem bei keinem Zahnarzt mehr.

Aber auch Friseure neigen zu extremem Wettbewerbsdenken. Als ich neulich in der Nähe von Stuttgart beschloss, mir die Haare schneiden zu lassen, fing der Friseur sofort mit dem gleichen Lied an: »Wer war denn bloß an Ihren Haaren dran? Wer hat Ihnen das angetan?«

»Schluss jetzt!«, rief ich laut und verhinderte auf diese –

zugegeben etwas grobe – Weise einen sich bereits anbahnenden Friseurkrieg, bei dem sich bestimmt halb Deutschland in die Haare geraten wäre.

Kängurus

Ein Freund von mir ging Pilze suchen und hat nach mehreren Stunden im Wald aus Frust den Pilzratgeber zerrissen, weil kein einziger Pilz so aussah, wie er im Buche stand. Ihm gehe es seit der Wende so, schimpfte er. Früher, als die Mauer noch stand, sahen die guten Pilze saftig und rund aus, die schlechten waren dünn und richtig gefährlich. Im Wald der Gegenwart aber gleicht kein Pilz dem anderen, jeder hat seine eigene Farbe und Form. Oft machen die guten einen schlechten Eindruck, die schlechten möchte man dagegen sofort in den Korb legen.

Alles ist nach dem Fall der Mauer durcheinandergekommen. Sie war ein Spiegel, in dem jeder sehen konnte, was er sehen wollte. Wie ein Zauberstab trennte sie Licht und Schatten, hier war die Hölle und dort das Paradies. Ohne Mauer haben sich Licht und Schatten miteinander vermischt, Gut und Böse sind nicht mehr auseinanderzuhalten, das Paradies sieht aus wie die Hölle und die Hölle wie das Paradies. Hilflos irren wir im Wald umher und streiten um jeden Pilz. Die Deutschen suchen mit einem Ratgeber, die Russen handeln nach Gefühl. Während der Deutsche zweifelt und oft mit leerem Korb nach

Hause geht, nimmt der Russe erst einmal alles mit. Seine Erfahrung sagt ihm, dass eigentlich alle Pilze essbar sind. Manche muss man einige Tage lang kochen, andere stärker salzen, aber essen kann man sie eigentlich alle. Eine gefährliche Lebenseinstellung aus europäischer Sicht. Und doch vergiften sich die Russen mit allem Möglichen, aber kaum mit Pilzen, während die übervorsichtigen Deutschen laut Vergiftungsstatistik sehr oft unter falschen Pilzen zu leiden haben.

Die besten Pilze wachsen hier übrigens in der ehemaligen sowjetischen Besatzungszone, überall dort, wo Russen stationiert waren. Anscheinend stehen die Pilze und die Russen in einer mysteriösen Verbindung. Mein Freund und Nachbar, ein ehemaliger Leutnant der sowjetischen Armee, der sich aus der Armee entlassen, Deutschland jedoch nicht verlassen hat und hier als Taxifahrer sein Geld verdient, kennt alle geheimen Pilzsammelplätze in und um Ostberlin. Er fährt mit seinem alten Audi immer dorthin, wo er früher mit seinem Panzer herumgefahren ist. Dort sprießen jedes Jahr Steinpilze aus dem Boden. Auf seinen Ausflügen verirrt er sich nie in den Westen, er weiß genau, wo die Grenze verlief. Überhaupt scheinen die Berliner Taxifahrer besonders vom Fall der Mauer betroffen zu sein. Alle, die ich treffe, waren früher etwas ganz Großes gewesen und mussten sich später zum Taxifahrer umschulen lassen. Sie erzählen gern ihre Geschichten, besonders wenn wir an der imaginären Mauer entlangfahren.

»Kennen Sie das Borchardt, das Restaurant?«, fragte mich neulich ein lustiger Taxifahrer, der wie ein gealterter Rocker aussah. Er hatte einen Zopf, eine Goldkette um den Hals und einen Wackel-Elvis auf dem Armaturenbrett, der im stressigen Berliner Stauverkehr auch heftig wackelte. »Dieses noble österreichische Lokal, wo die ganzen Politiker und Touristen einander anstarren? Zu DDR-Zeiten war es ein Fischrestaurant, das sich nachts in eine Disko verwandelte. Ich war der erste DJ dort am Plattentisch. Heute darf jeder Depp Musik auflegen, aber damals war das ein heiß begehrter Beruf. Man musste sogar eine Prüfung ablegen und sich als ausgebildeter Schallplattenunterhalter vom Staat anerkennen lassen. Ich war ein Meister der Schallplattenunterhaltung, und wir haben in dem Fischrestaurant die ganze Vorarbeit für die Wiedervereinigung geleistet. Es war eine schicke Disko, großes internationales Publikum. Aus dem Westen kamen die Türken, die Italiener und die Araber, weil sie ostdeutsche Mädels kennenlernen wollten. Fast jeder von ihnen hatte auf beiden Seiten der Mauer eine Freundin, eine Ost- und eine Westfreundin. Was für ein Leben!«, rief der Taxifahrer, und sein kleiner Elvis nickte zustimmend. »Kurz vor Mitternacht verschwanden die Jungs alle in Richtung Grenzübergang, um sich ein neues Tagesvisum zu holen. Kurz nach Mitternacht kamen sie alle zurück und tanzten die ganze Nacht durch. Mit dem damaligen Umtauschkurs landeten sie bei uns im Paradies. Die Getränke waren so gut wie umsonst. Für fünf Westmark machten ihnen die Mädels einen Strip auf der Damentoilette, ein geräucherter Aal von der Fischtheke war noch preiswerter. Nur zu verständlich, dass sie nicht nach Hause gehen wollten.

Mich haben sie immer mit neuen Platten versorgt. Ich bin mit ihnen zum Bahnhof Friedrichstraße gegangen. Dort in den Schließfächern hatten sie die Musik gebunkert. Billy Idol kostete hundertfünfzig Ostmark!«, klagte der Taxifahrer. Sein Elvis wackelte entsetzt. »Die Mauer hat unser Leben damals unglaublich aufgewertet. Zwei Welten nebeneinander, jeder war ein Grenzgänger, jeder Schritt eine Entscheidung. Und heute, egal wohin du läufst, überall das Gleiche«, seufzte er.

Wir in Moskau haben auf den Westen gewartet wie die Kinder auf den Weihnachtsmann. Besonders die modernen Künstler, die sich im Osten nicht entfalten konnten, rechneten fest mit der Anerkennung durch die neuen Freunde. Beide Seiten hielten einander für exotisch. Ich erinnere mich noch, wie sich ein Filmregisseur auf den Besuch westlicher Journalisten vorbereitet hat. Er zog Filzstiefel und Pelzmütze an, wenn er Gäste aus dem Westen erwartete. In diesem Karnevalskostüm setzte er sich auf den Balkon seiner Wohnung und spielte Balalaika. Seine Nachbarn, die ihn früher nie Balalaika spielen gesehen hatten, dachten, bei dem Regisseur seien endlich die Sicherungen durchgebrannt, und riefen den Krankenwagen und dazu noch die Feuerwehr, für alle Fälle.

Ein anderer, ein guter Dichter, lud ein paar ausländische Kollegen in sein Wochenendhäuschen ein. Er wollte, wenn sie kamen, nackt aus dem Häuschen springen und sich im Schnee wälzen, um ihnen auf diese Weise seine geheimnisvolle russische Seele zu demonstrieren. Doch die Gäste gerieten in einen Stau, der Dichter saß nackt im

Flur, schaute alle zwei Minuten nach draußen, ob jemand kam, und erkältete sich dabei furchtbar.

Damals, in der ausgegrenzten Welt, lebten wir wie im Zoo, schauten einander an und staunten übereinander. Heute sind die Grenzen verwischt, die Mauern niedergerissen, die Welt ist flach geworden. Woher noch Neugier nehmen, wo sind die Exoten? Worüber noch staunen, wovon träumen? Ich fliege demnächst nach Australien, habe schon die Flugtickets gekauft. Ich war noch nie in Australien, ich muss nach Australien wollen. Und so versuche ich, mich täglich für Australien zu motivieren.

»Kängurus!«, sage ich jedes Mal zu mir selbst. »Ja, Kängurus. Die müssen es sein.«

Der siebte Gast

Erwachsen zu werden ist schön und gut, aber wann soll das passieren? Wohin das Auge blickt, lauter Kinder, die sich bloß als Erwachsene tarnen. Verantwortungslos, rücksichtslos, naiv. Diesem Trend folgend, schrieb ich ein Kinderbuch für Erwachsene und bin mit dieser Idee voll ins Fettnäpfchen getreten.

Es fing gut an. Ein kleiner christlicher Verlag fragte an, ob ich mir vorstellen könne, eine Bibelgeschichte meiner Wahl kinderfreundlich nachzuerzählen. Ich wählte die Geschichte von der Vertreibung von Adam und Eva aus dem Paradies. Sie war in meinen Augen eine typische Familiengeschichte. Ein Schöpfer, alt und weise, will seine Vorstellung von Recht und Ordnung bei der Schöpfung durchsetzen, aber entweder klärt er die Schöpfung nicht klar genug auf, oder sie ist tatsächlich zu blöde, und jedes Mal, wenn sie vor eine Wahl gestellt wird, entscheidet sie sich für das Falsche, versteht die göttliche Ordnung nicht und fliegt zuletzt raus aus dem Paradies.

Menschlich gut nachvollziehbar, die Haltung des Schöpfers. Nicht nur im Paradies, auch bei uns zu Hause in Berlin wird stets irgendjemand von irgendwo vertrieben. Mal die Kinder vom Computer, mal die Großmutter vom Fernseher, mal die Katzen vom Kühlschrank. Andererseits dachte ich, soll ich wirklich darüber schreiben? Das bringt doch nichts. Jeder Mensch neigt dazu, seine eigenen Erfahrungen zu sammeln und nur sich selbst zu vertrauen. Er kann seinen geraden Weg erst dann erkennen, wenn er zuvor alle Neben- und Quergassen besucht und in jeder Gosse herumgelegen hat. Diesem geraden Weg folgend, die Hosentaschen mit Erfahrungen und Erkenntnissen prall gefüllt, wird man schnell müde und denkt gar nicht mehr ans Paradies, sondern sucht nach Ruhe, statt nach Glück. Was soll das überhaupt für ein Glück sein, in einer Welt voller Leid und Hunger und Not? In einer solchen Welt kann nur ein Schurke oder ein Idiot glücklich sein.

Ich schrieb dann doch über das Glück, aus dem Paradies vertrieben zu werden, und landete mit meinem Kinderbuch für Erwachsene prompt in einer Fernsehtalkshow. Die Presseabteilung des Verlags hatte große Mühe, diesen Auftritt zu organisieren, ich wurde im letzten Moment außerplanmäßig als sechster Gast in die Talkrunde reingenommen. Tolle Werbung für das Buch, sehr verkaufsfördernd, meinte der Angestellte aus der Presse. Ich war schon lange nicht mehr in einer Talkshow gewesen, und das Fernsehen als Medium hatte sich zwischenzeitlich stark entwickelt, allerdings in eine mir entgegengesetzte Richtung. Und so landete ich mit meinen Adam-und-Eva-Buch in der wohl perversesten Gesprächsrunde, die das deutsche Fernsehen seinerzeit anzubieten hatte.

Rechts von mir saß ein zwei Meter großer Transvestit aus Hamburg, der gerade seine neue Striptease-Bar für Frauen, die auf zwei Meter große Transvestiten standen, eröffnet hatte. Rechts von mir saß ein kleiner singender Schauspieler, der einen anderen Schauspieler geheiratet hatte. Weiter saßen da eine Boxerfrau, ein türkischer Deutschdialekt-Imitator und ein Gehirnforscher, der ein Buch darüber geschrieben hatte, wie negativ sich das Fernsehen auf das Gehirn auswirkte. Diese unfrohe Botschaft wollte der Mann ausgerechnet im Fernsehen verbreiten. Er selbst habe kein Fernsehgerät, und das Gleiche würde er auch den Zuschauern raten, sagte der Professor. Die Tatsache, dass die Fernsehzuschauer, wenn sie wie der Professor keine Fernsehgeräte hätten, den Professor gar nicht sehen und somit nie erfahren würden, wie negativ sich das Fernsehen auf ihr Gehirn auswirkte, diese Tatsache schien den Professor nicht im Geringsten zu stören.

Ich überlegte, ob ich dem Professor, um seine Wut auf das Medium zu mildern, etwas über russische Verblödungskanonen erzählen sollte, darüber hatten nämlich gerade mehrere russische Zeitungen berichtet: Ein schlauer Journalist hatte nämlich in Moskau auf mehreren Hochhausdächern große dicke Antennenmasten entdeckt. Sofort sprach die Presse von neuen, unglaublich starken Verblödungskanonen. Man vermutete, die Masten würden Signale aussenden, die bei den Menschen jegliches kritische Denken blockierten. Vor einer Wahl zum Beispiel würden diese Kanonen angeschmissen, damit der Kandidat gewählt würde, der auf dem Plakat besser lächelte.

Und wenn er ein leckeres Eis in der Hand hielte, bekäme er sogar hundert Prozent aller Stimmen. Man erzählte sich, die kleinen Verblödungskanonen mit einem engen Wirkungsradius wären schon früher entdeckt worden, man hätte sie im Kreml, in den Büroräumen der Regierung, gefunden. Als Gardinenhalter getarnt sollten sie die Staatsmänner daran hindern, ausgewogene politische Entscheidungen zu treffen. Niemand wusste, wer der Herr der Verblödungskanonen war, man vermutete, westliche Geheimdienste würden dahinterstecken, möglicherweise die Chinesen.

Die Bilder der russischen Verblödungskanonen kamen mir bekannt vor. Auch in Deutschland sah ich immer wieder solche Masten auf den Dächern der Hochhäuser. Aber die deutsche Öffentlichkeit drückte da ein Auge zu. Sie erkannte offiziell nur eine Verblödungskanone als einzig wahre an – das Fernsehen.

Ich saß also nun direkt im Lauf dieser Kanone, in einem öffentlich-rechtlichen Sodom und Gomorrha, in einer Runde, die gut die allgemeine Verwirrung unserer Zeit widerspiegelte, in der keiner mehr wusste, was er selbst und was der andere war. Lauter Kinder, die einmal angefangen hatten zu spielen und nicht mehr aufhören konnten.

»Und nun Sie, Herr Kaminer«, wandte sich die Moderatorin zu mir. »Warum hat denn der liebe Gott Ihrer Meinung nach uns Menschen aus dem Paradies vertrieben?«, fragte sie.

»Schauen Sie sich doch an, es ist doch klar, warum«, hätte ich sagen können, aber ich schämte mich, es zu sagen. Ich war auch selbst müde und verwirrt und in meinem Urteilsvermögen verunsichert. Vielleicht sind ausgerechnet die Transen und die Gehirnforscher fürs Paradies wie geschaffen. Steht etwa nicht in der Bibel, dass alle wie die Kinder werden müssen, um selig zu werden?

»Ja«, murmelte ich, »warum so tolle Menschen wie Adam und Eva vor die Tür gesetzt werden mussten, verstehe ich eigentlich auch nicht.«

Nach der Sendung sollte gefeiert werden, ein Umtrunk zum Jubiläum der Sendung. Man hatte draußen eine Grillanlage aufgestellt und Tische dekoriert. Das Ganze fand auf dem Messegelände von Hannover statt, einem leblosen Stück Erde, einst aus Übermut und Gier erbaut. Eine zermürbende Hitze herrschte in der Stadt, seit Wochen hatte es nicht mehr geregnet. Wir standen draußen am Grill, und plötzlich sah ich, wie eine tiefschwarze Wolke mit atemberaubender Geschwindigkeit über das Expo-Gelände in unsere Richtung zog. Die Wolke kam schnell näher, als würde sie jemand vom Himmel aus immer wieder treten. Es blitzte und donnerte wie nichts Gutes. Ein gnadenloser Regen, als siebter, nicht eingeladener Gast unserer kleinen Talkrunde, strengte sich an, die Erde außerplanmäßig sauber zu waschen. Die Talkshow-Gäste und Fernsehmacher sprangen in ihre schwarzen nassen Autos und rasten davon.

Deutsch-russische Vergleiche

Die Russen gehen gerne auf Reisen. Dabei spielt das Ziel der Reise eigentlich keine Rolle, der Prozess selbst ist das Entscheidende. Vor allem Männer überraschen oft mit spontanen Reisen ihre Arbeitskollegen und Familienangehörigen. Sie gehen kurz aus dem Haus, Bier holen, und rufen sechs Tage später aus Wladiwostok an. Dazu kommt, dass Russland ein unheimlich großes Land ist und den Eindruck von Grenzenlosigkeit vermittelt, sodass man meint, man könne dort ewig im Zug sitzen. In einem europäischen Land stößt der Reisende schnell an die nationalen Grenzen. Russland dagegen hat sehr lange Gleise, besonders wenn man mit dem Zug nach Norden in Richtung Sibirien fährt. Auf einer solchen Reise glaubt man beinahe, das Land habe sich von der Geografie befreit, es dehne sich endlos. Deswegen werden auch so westliche Werte wie Nachhaltigkeit und Mülltrennung in Russland als kleinkariert verspottet, weil die Russen eben ihrer Meinung nach in einem grenzenlosen Land leben. Und in ein grenzenloses Land kann man endlos Müll hineinkippen, ohne dass es groß auffällt. Nur an der Westseite hat dieses Land eine Grenze, dort wo die russischen Zugräder nicht mehr auf die Schienen passen. Dort hat der Spaß der Grenzenlosigkeit ein Ende.

Nicht zuletzt deswegen lag der Schwerpunkt der russischen Suche nach dem Sinn des Lebens schon immer bevorzugt hinter dem Ural. Dort schien er begraben zu liegen. Die besten Männer Russlands, die Blüte der Aristokratie, verließen die vornehme Gesellschaft in den russischen Hauptstädten und gingen für Jahre nach Sibirien in die Taiga, um die Natur zu studieren. Sie fanden heraus, wie es andere Arten unter schwierigen Voraussetzungen schafften zu überleben: indem sie zusammenkamen. Es gibt in der Natur kaum Einzelgänger, die meisten Tiere und Vögel bilden Herden, Scharen, Meuten und Schwärme, sie führen ein Leben aufgebaut auf den Prinzipien der Kooperation, der Solidarität und gegenseitigen Hilfe, die man bei den Menschen der europäischen »zivilisierten« Welt noch heute vermisst. Die Russen gingen immer weiter durch Wald und Schnee und machten sich Namen als herausragende Geografen, Polarforscher und Neulanderoberer.

Dann kam die Revolution, doch kaum hatte sich das Land von der rückständigen Monarchie befreit, wurde sie durch eine noch blutrünstigere Diktatur ersetzt. Der neue Staat versuchte, aus Sibirien das größte Zuchthaus der Welt zu machen. Millionen Russen wurden von Stalins Regime repressiert und nach Sibirien in Lager geschickt. So wurde der Norden auch noch zum Friedhof der Nation. An kaum einem anderen Ort sind so viele Dichter und Denker gestorben. Zu meiner Jugendzeit, in den lieblichen Achtzigerjahren des altersschwachen Sozialismus, hatte die Diktatur ihre Bürger nicht mehr so fest im Griff, auch wenn sie immer wieder so tat, als ob. Unsere sozialistische Diktatur war von vielen Alterskrankheiten geschwächt, sie hatte Alzheimer, oft vergaß sie sogar, was an ihr eigentlich sozialistisch war. Das gesellschaftliche Leben, selbst die Zeit schien in diesem versteinerten Staat zum Stehen gekommen zu sein. Nur die Züge fuhren, und sie waren voll. Die Gleise lenkten ab und luden ein, sie gaben jedem die Chance abzuhauen – natürlich nicht für immer, vielleicht nur für die kurze Zeit der Fahrt, aber zumindest da konnte sich ein Zugreisender von der stehen gebliebenen Realität erholen. Viele Lieder von damals feierten die Romantik der Zugfahrt: »Mein Herz klopft im Takt der Zugräder«, »Die Waggons schaukeln, die Waggons wackeln«, »Wir werden niemals umdrehen, unsere Lokomotive bleibt erst im Kommunismus stehen«.

Als Kind glaubte ich, die Welt sei an allen Ecken und Seiten verschieden wie ein Kaleidoskop. Ich dachte natürlich nicht, dass die Australier die ganze Zeit auf dem Kopf stehen würden mit den Füßen zur Sonne oder dass in Südamerika die Vögel tatsächlich mit dem Hintern nach vorne flögen, wie mancher bei uns behauptete. Aber ich konnte mir durchaus vorstellen, dass die Australier beim Gehen mal sprangen oder stolperten und die Vögel in Südamerika beim Fliegen ein wenig schief in der Luft hingen.

Die weite unbekannte Welt war eine unerschöpfliche Quelle für Phantasien über alternative Lebensentwürfe. Mit der Zeit habe ich mich jedoch mit der Allgemeingültigkeit der Naturgesetze abgefunden. Nirgends wird gestolpert oder schief gehangen, überall stehen Häuser, und ihre Bewohner laufen um sie herum. Ihre Sorgen sind in der Regel an ihrem Äußeren zu erkennen, ihre Vorlieben sind leicht nachzuvollziehen. Frauen mögen Blumen, Kinder Eis und Männer Bier. Selten in anderen Kombinationen. Und trotzdem haben wir es geschafft, aus denselben Voraussetzungen überall ein einzigartiges Leben aufzubauen. Dieser Zauber unserer Welt war am deutlichsten bei einer Zugreise zu erfahren. Man konnte wochenlang fahren, doch die Landschaft hinter dem Fenster veränderte sich kaum.

Im Zug ging es jedoch wie in der Küche einer Kommunalwohnung zu. Die Züge meiner Kindheit waren laut, sie rochen nach Wurst, Rauch und Alkohol. Ich absolvierte bereits als Baby jedes Jahr im Sommer eine Zugfahrt, allerdings nicht nach Sibirien, sondern in Richtung Süden. Ich wurde zur Stärkung meiner physischen und geistigen Kräfte zu meiner Großmutter nach Odessa geschickt. Sie wohnte am Schwarzen Meer, nach russischen Maßstäben also gleich um die Ecke, gerade mal achtundzwanzig Stunden mit dem Zug. Das sogenannte Platzkarten-Abteil bestand aus vier Klappbetten und zwei zusätzlichen im Korridor für weitere zwei Passagiere. Es gab keine Türen oder Wände zwischen Gang und Abteil, daher waren wir während der Fahrt immer zu sechst und saßen einander buchstäblich auf dem Kopf.

Soweit ich mich erinnern kann, hatte ich als Zugnachbarn Jahr für Jahr immer die gleichen Typen, die bloß einmal etwas jünger und einmal älter ausfielen. Aber immer war ein Ingenieur auf Dienstreise dabei, der tagsüber mit grobkörnigen Komplimenten die Schaffnerin umschmeichelte und nachts vom Regal fiel. Außerdem fuhr stets eine ältere Dame mit, die auf ihrer Liege im Liegen Atemgymnastik machte, ein molliges Mädchen mit Zopf, das verträumt in einem ebenfalls molligen Buch blätterte, und der demobilisierte Soldat, der seine Uniform nicht einmal nachts auszog, als hätte er keine Unterhose an. Die Hauptattraktion russischer Züge war das Waggon-Restaurant: Kein anderer Ort war zum dauerhaften Feiern besser geeignet. Dabei brauchte man nicht einmal ein schlechtes Gewissen zu haben, denn ein Restaurant, das auch noch fuhr, erfüllte den geheimen Wunsch jedes nach dem rechten Lebenszweck suchenden Menschen: Man tat gar nichts, kam aber trotzdem voran.

Der Zug gab die Sicherheit, die wir im sesshaften Leben nie fanden: Er fuhr immer auf dem richtigen Weg, er konnte sich unmöglich verlaufen. An Punkt A losgefahren, kam er immer an Punkt B an, wenn auch oft mit Verspätung. Aber wir hatten ja Zeit. Und die Bahnhöfe waren Horte der Sentimentalität, wo selbst Russen, die sonst eher zurückhaltend waren und ungern ihre Emotionen in der Öffentlichkeit zeigten, buchstäblich die Sau rausließen. Nirgendwo wurde bei uns so viel getuschelt und geküsst. Die Gleise verbanden die Menschen, und die Züge waren immer die gleichen, egal wie unterschiedlich die Passagiere sein mochten. Ich stellte mir vor, unser ganzer Planet sei mit diesen Gleisen umwickelt, man könne ein Leben lang um die runde

Erde herumfahren, wobei allerdings die Überwindung der Ozeane entweder spezielle Zugschiffe oder sehr große Brücken oder ebenso lange Tunnel erforderlich machte.

Auf meiner Fahrt nach Berlin habe ich jedoch festgestellt, dass die Gleise doch nicht überall die gleichen waren. An der westlichen Grenze des sonst grenzenlosen Landes bekamen die russischen Züge andere Räder. Nicht nur das, auch die Passagiere veränderten sich merklich. Der Ingenieur hörte abrupt auf, die Schaffnerin anzubaggern und fiel nicht mehr vom Klappbett, die alte Dame beendete ihre Atemgymnastik, das Mädchen legte ihr Buch beiseite. Alle schauten interessiert aus dem Fenster und verglichen.